新潮文庫

山彦乙女

山本周五郎著

新潮社版

2216

山《やま》彦《びこ》乙《おと》女《め》

序の章

安倍《あべ》半之助が、ついに彼の生涯《しょうがい》を縛りつけることになった「かんば沢」の名を、初めて耳にしたのは十歳の年のことであった。それはかなりきみの悪い、妖《あや》しい話であり、のちに、兵庫という叔父の奇怪な失踪《しっそう》、という出来ごとにも、関連していた。

遠藤兵庫という人は、半之助にとって母方の叔父に当り、道楽者でしようがない、という噂《うわさ》をよく聞いた。そんなことが祟《たた》ったものかどうか、甲府勤番にまわされたが、一年ぶりかで江戸へ出て来て、半之助の家に二日ほど泊ったとき、その話をしていった。

叔父は背丈のすらりとした、眼《め》のやさしい、なかなかの美男で、立ち居もおっとりしていたし、いつも静かな笑い顔をしていたが、それはあいそがいいというより、むしろ皮肉な、人をばかにしているといったような、感じのものに近かった。

――あの人は小さいじぶんからあんなふうでしたよ。

母はその弟のことをよくこう云《い》っていた。

——御先祖の忌日《きにち》のようなことでも茶化してしまうんです、ものごとをなに一つまじめに考えることができない人なんですから。

しかし母は叔父を愛していたようだ。

叔父のほうでも、この六つ違いの姉が好きだったらしい。半之助の記憶では、母の部屋か父の居間へゆけば、いつも叔父がいて、退屈そうに寝そべったり、酒を飲んでいたりしたように思う。

兵庫の家は麹町《こうじまち》五番町にあり、実の母親と、くみという妻と、千之助という男の子がいた。叔父はそのくみという妻を嫌《きら》っていた。詳しいことはわからないが、なにか事情があったのだろう、あるとき叔父が父に向って、あざけるような調子で、こんなふうに云うのを聞いたことがあった。

——あれが黙って坐《すわ》っているでしょう、するともう娘のように可憐《かれん》で、浄《きよ》らかで、いやらしいことなんか塵《ちり》ほども知らない、といったふうにみえるんですからね、けがらわしいとは思うけれども、憎む気にはなれませんね。

妻だと名はささなかったが、明らかにその人のことを云っていたようだ。例によって笑い顔をしていたが、けがらわしい、というするどい言葉は、幼い半之助にも忘れられないものであった。

遠藤は母の実家であるが、ふしぎに安倍とは往き来《いき》がないので、外祖母のことも、従兄弟《いとこ》に当る千之助のことも、半之助はよく知らなかった。しかしくみという叔母の印象は、かなり鮮やかに残っていた。軀《からだ》の小柄《こがら》な、色の白い、いつも泣いたあとのような眼つきをした、声のきれいな人であった。けがらわしい、などという表現とはまったく縁のない、たおやかに美しい人であった。

甲府から初めて出て来たときも、叔父は五番町へは孫七という下僕をやり、自分は赤坂一つ木の安倍の家に旅装を解いた。

家族とのこうした不和が、どんな理由によるかということは、半之助はもちろん無関心であった。ずっとのちになって、おぼろげに察しはついたが、それをもっとはっきり知りたいとは、決して思わなかった。但《ただ》しその不和のために、後日、叔父がふしぎな失踪をしたとき、その遺品が五番町でなく、安倍の家に託され、ひいては半之助の運命をも変えることになったのではあるが——。

さてその日の夕餉《ゆうげ》は、久方ぶりの叔父をかこんで、賑《にぎ》やかに話がはずんだ。話題はしぜん、甲府のことが中心であった。半之助はそのなかで、「隠し言葉」「隠し草鞋《わらじ》」「隠し湯」などということを、面白く聞いた。それは、甲斐《かい》の国には温泉が七つあるが、みんな所在が秘密にされていたこと。「ゆこう」と云うばあいに「ゆかず」と、反対に云うこと。また草鞋は前うしろが逆に作ってあり、したがって地面には足跡が逆になって残ること、などであった。……半之助はびっくりして、思わずこう質問した。

「どうしてそんなにみんな隠《な》なしちゃうんですか」

叔父は笑って、「それがねえ、みんな武田信玄の計略だっていうことだよ」

言葉で敵の耳をくらまし、足跡で敵の眼をくらます。というわけだそうである。また甲府周辺の言語や風俗には、信玄にむすびつけて伝承されるものが少なくない。たとえば「叱《しか》られる」ということを方言で「よまあれる」というが、これは信玄が家来の過失を書きとめておいて、適当なときに、まとめて読み聞かす、――おまえは某月某日これこれの失策をした、某月某日にはしかじか、某月某日には、というぐあいに叱る。つまり読みあげられる、読まれるという意味だそうで、ほかにもこれに類することは驚くほど多い、と叔父は云った。

「もちろん真偽のところはわかりません、おそらく付会したものでしょう、信玄を敬慕する感情からうまれたんでしょうが、とにかく土着民の信玄を崇拝することは、殆《ほと》んど宗教的といっていいほど、根づよいものです」

「それだけ武田氏の治世が長かったんだね、六百年か七百年は続いたんだろう」

「六百年が少し欠けるくらいでしょうかね」

それからまた、信玄の石棺、という話が出た。

省略していうと、信玄が勝頼によって武田氏の亡《ほろ》びることを予断し、やがて再興をはかる者のために、伝来の白旗や、兜《かぶと》や、宝玉黄金などを巨大な石棺におさめて、どこかへ隠してある、というのであった。

「まさかそんなことが、まじめに信じられているのではなかろう」

「それがまじめなんですね」

叔父はもう少し酔って、赤い顔になっていたが、どこかしらいつもと違って、ねばねばするような表情があった。

「またそれについて、それと関係があるんじゃないかと思う話があるんですよ、こいつは石棺なんぞより、はるかに物語めいているんですがね」

それが「かんば沢」のことであった。

甲府から西へ六里ばかり、巨摩郡《こまごおり》の甘利郷《あまりごう》という山間の村に、「みどう」と呼ばれる地主の屋敷がある。おもてむきは単なる百姓の地主で、べつに苗字《みょうじ》はなく、代々の主人は清左衛門という。年貢《ねんぐ》帳などでみると、さしたる地所持ちではないし、かつて庄屋とか戸長とかいう役を勤めたこともない。しかし近郷一帯の住民から、ひじょうに尊敬されている。みどうとはどういう意味であるか、おそらく「御堂」と書くのではないかと思うが、その家族の者が通ると、住民たちは土下座もしかねないくらいで、それが殆んど、巨摩郡ぜんたいにわたっている。

甲府城では、幾たびか探索を試みた。

土着民に特殊な勢力をもつような者は、そのころの政治としては放任できない。武田氏再興、などというばかげた俗信が、どんなはずみに、どんな騒ぎを起こすかも、しれないからである。だが、探索は成功しなかった。

みどう家そのものには、どう調べても不審なところはないし、住民たちからは、なに一つ、聞きだすことができなかった。ただその付近に二三の奇怪な伝説がある、甲《かっ》冑武者《ちゅうむしゃ》の亡霊が、深夜に行列をする甘利谷とか。甲斐の国じゅうの狸《たぬき》が、年に一度集会をひらくという、狸の談合場とか。近づく者は生きて帰れないという、かんば沢とか。そばへ寄ると人でも獣でもひき込むという椹ケ池《さわらがいけ》。などである。

そのなかで「かんば沢」というのが、みどうの家となにか関係があるらしい。幾たびかの探索で、それだけは推測することができた。

そこで前後五回にわたって、かんば沢を調べようとした。現に三人そこへはいった者がある。しかし二人はそのまま行方不明になり、一人は辛《かろ》うじて助け出されたが、白痴のようになっていて、まもなく狂死してしまった。

「その狂死したというのは、つい五年ばかりまえのことなんです」

叔父の兵庫はこう云って、ふと、きらきらするような眼をした。

半之助は以上のことを、そのときぜんぶ覚えたわけではない。二回めの叔父の話や、その後に起こった出来ごとが重なって、ほぼまとまった記憶になったのである。しかし、二人が行方不明になり、一人が狂死したという「かんば沢」の名は、幼い彼にとって、強烈な印象であった。

それから二年めの秋に、叔父が公用で出府し、こんどはひと晩だけ泊っていった。そのときまた「かんば沢」の話が出た。

「ちょっと妙な好奇心が起こりましてねえ」

さりげなく云いながら、どうやら自分から願って、みどうの調査を始めたようであった。

なにかわけでもあるのか、なんとなく言葉を濁すような感じだったが、話はこのまえのときよりずっと現実的で、しかも（特にそのころの半之助にとっては）かなりきみの悪い、内容のものであった。

狸の談合場というのは、八月（陰暦）十六日から十八日まで、夜の八時から十時へかけて、じっさいに狸ばやしが聞える、そうであった。

「そこは尾草という部落のうしろで、松林にかこまれた、かなり広い台地のような場所ですがね、私は三晩ともそこへいってみたんです」

叔父は例のように笑い顔をしていたが、それはどこかしら硬《こわ》ばってみえた。

「もちろん土地の者はそんなことはしません、その三日三晩は近よりもしない、近よることは厳重に禁じられているんですが」

「狸がほんとにお囃《はや》しをしていたの」

半之助は堪《たま》りかねて訊《き》いた。叔父は頷《うなず》いて、ちょっとまをおいて続けた。

「たしかにね、笛や太鼓の音が聞えるし、がやがやと、なにか大勢で云いあっているのも聞える、はっきりとではなく、高くなったり低くなったり、ときには遠くかすれたりするが、聞えることはまちがいないんです」

叔父はそっと近づいてみた。ちょうど月のある晩で、まだ月は低く、光りも弱かったけれども、その台地はかなりはっきり見ることができた。

しかしなにもいなかった。まわりをかこむ松林は、しんとして枝も動かず、いちめんに草の茂っているその台地は、あふれるような虫の声だけであった。なにものの影も無かった。そして、やはり狸ばやしは、そこで聞えていた。兵庫はこう云って、低い声で、その笛太鼓の音や、かすかな人ごえなどを、まねてみせた。

叔父はまた、甲冑武者の亡霊も見た。それは四月十一日の、深夜のことであるが、甘利谷の山道を、およそ五十人ばかりの行列が通った。先頭には白の大口に、きせながを着け、白い柄《え》の長巻を持って、白い法師頭巾《ずきん》をかぶった武者がいた。あとに続く者はみな甲冑であるが、これも鎧下《よろいした》はみな白いし、兜の眼庇《まびさし》から白い布が、顔を隠すように垂れていた。闇夜《やみよ》のことで、さだかには見えなかったが、その亡霊の武者たちは、まっ暗な山道を音もなくやって来て、隠れている叔父の前を通って、武田郷のほうへと、音もなく去っていった。

「その白い古風な恰好《かっこう》といい、足音もたてず、すうっと、声もなく通ってゆくところは、亡霊という以外に云いようが……」

半之助は身ぶるいをした。

ほかにも話はあった。

みどうの屋敷は、念入りに改造してあるけれども、明らかに館城《たてじょう》の構えである、とか。武田郷というところに、古い八幡宮があり、うしろに古代の塚などがあって、いかにも由緒《ゆいしょ》ありげにみえる。土地の者はただ八幡社と呼んでいるが、じつは武田八幡といって、武田氏の始祖を祠《まつ》ったものらしい、とか。いもじ谷《や》というところは、古い鉱滓《こうし》などがころがっている。むかし鋳造所でもあったらしく、地名のいもじは「鋳物師」と書くらしい。などということであった。

「かんば沢へも今年の冬には、はいってみようと思います、遠くから見たところでは、叢林《そうりん》が深すぎてちょっと近よれそうもない、冬でなければだめらしいんですよ」

そんなことも云った。

その他にもいろいろあったが、半之助には狸の談合場と、白い亡霊の行列とが、いちばんつよく頭に残った。こうして明くる朝、甲府へ帰任していった叔父は、それから約一年半ののち、ついに行方知れずに、なったのである。

もちろん江戸ではなにも知らなかった。また、そんな異常なことが起こっていようとは、想像もしなかったのであるが、中一年おいて、元禄《げんろく》九年の三月、甲府から下僕の孫七が出て来て、初めて意外な事実を聞かされたのであった。

だいたいを記すとこうである。

江戸から帰った年の冬、叔父は一人で甘利郷へでかけていった。まえにもたびたびいったし、そのときも気がるにでかけたのであるが、そのまま三十日ほども戻って来なかった。

孫七は気が気ではなかった。役所でも捨てておけなくなり、同僚の人たちが、小者を二十人ばかり伴《つ》れて、捜しにいった。五六日もかかって、その付近を隈《くま》なく捜したところ、どうやらかんば沢へはいったらしい、ということがわかった……まえに叔父が自分で話したように、そこでは二人が失踪し、辛うじて助かった一人は狂死している。またそれ以前にも、そうした例があったそうで、

――かんば沢へはいったものなら、もうしようがない。

ということで、その人たちは、断念してひきあげた。しかしそれから十五六日して、ふいと兵庫は戻って来た。

少し痩《や》せたのと、顔色が悪いのをべつにすれば、さして変ったところはなかった。ただ頭がぼんやりしているようで、失踪ちゅうのことはなにも記憶がなく、役所へ呼ばれても、満足に返答ができなかった。

――暫《しばら》く静養するように。

こういって休暇を与えられたが、それからずっとひきこもって、一日じゅうなにか

ぶつぶつ呟《つぶや》いたり、夜半にとつぜん起きだしたりして、見ているほうではらはらするくらい、おちつきがなかった。

そんなふうにして年が暮れた。だがその翌年の二月、こんどはまったく無断で、ふいとどこかへ出奔した。

この二回めの失踪は百二三十日も続き、七月中旬になって、ある雨の降る早朝、住居の表に、頭からぐしょ濡《ぬ》れになって、茫然《ぼうぜん》と立っているのを、隣家の下僕に発見された。

兵庫はひどい姿になっていた。蒼黒《あおぐろ》くむくんだ、溺死者《できししゃ》のような相貌《そうぼう》になり、手足は極端にまで痩せ、瞼《まぶた》や指趾《しし》は絶えず顫戦《せんせん》し、唇《くちびる》からはよだれが垂れた。十日ばかりは、死んだように寝こんでいたが、孫七に向って、――今後おれを外へ出さないように、厳重に見張っていて呉《く》れ、おれがなんと云おうとも決して出してはいけない、必要なら縛ってもいいから。こう繰り返して云った。

孫七は当時四十五六で、力の強い、快活な、胆《きも》の太い男だった。しかしえたいの知れない主人の挙動に、さすがの彼も怯《おび》えたようになり、おちおち眠ることもできなくなったそうである。……自分で云ったとおり、兵庫はしきりに家をぬけ出ようとした。そのときは病気の発作が起こったようなぐあいで、全身をがたがた震わし、焦点の狂った眼で宙をねめつけながら、抱き止める孫七に反抗して、恐ろしいほどの力で暴れた。

——あの約束は冗談だ、おまえをからかったのだ、おれは役所へゆくんだから放せ。そんなふうに云ったり、罵《のの》しり喚《わめ》いたり、孫七の腕に嚙《か》みついたりした。またべつのときには、とつぜん獣のように呻《うめ》きだして、——早く止めて呉れ、おれを押えて呉れ。と悲鳴をあげることもあった。

なにか眼に見えない魔物でもいて、妖《あや》しい力で彼を招きよせでもするかのような、なんともきみの悪いありさまであり、本当に手足を縛らなければならないようなことも、二度や三度ではなかったということだ。

こんども失踪ちゅうのことはなにも語らなかった。記憶があるのかないのか、役所からなんども人が来たが、その点になると頑強《がんきょう》に口をつぐんだ。同僚たちは代る代るみまいに来た。もちろん医者にもみせたし、祈禱師《きとうし》や修験者《しゅげんじゃ》を呼んだりした。およそ四十日ほど、こんな状態が続いたあと、少しずつ軀《からだ》もよくなり、発作の起こる回数も減って、熱心に書きものなどするようになった。……これなら恢復《かいふく》するかもしれない。そう思われたのであるが、九月下旬のある日、孫七がちょっと用達しに出たあとで、とつぜんまた行方をくらましてしまった。

庭の沓脱《くつぬ》ぎ石の上に木犀《もくせい》の枝の剪《き》ったのが捨ててあり、縁側に花鋏《はなばさみ》があった。木犀を剪って、活《い》けるつもりで、そのまま出奔したもののようであった。

それが最後の失踪であった。

同僚の二三と孫七とで、甘利郷のあたりを捜してみたが、やっぱりかんば沢へはいったらしいということで、どうしようもなかった。十二月に役所から人が来て、家の中を調べたところ、持ち物はきれいに始末してあり、その処分の仕方を書いたものや、江戸の家族へ宛《あ》てた、遺書のようなものも発見され、いろいろな条件から、こんどは帰らないだろう、ということがほぼ明らかになった。こうして行方不明のまま、兵庫は病気隠居ということに定《きま》り、孫七はあと始末をして、江戸へ帰って来たのである。

「これは一つ木のお屋敷へ預けるようにと、書いてございましたので」

孫七は語り終ってから、こう云って油紙に包んだ物を渡した。

半之助はそのとき十四になっていた。もうつまらない妖怪談《ようかいだん》などを信ずる年ではなかったが、この出来ごとの異様さと、一種の鬼気に似たぶきみさとには、相当つよくまいらされた。

——かんば沢。

むろん見たこともないが、どす黒く叢林の生い繁《しげ》った、もののけやあやかしのわらわらとうごめいている、妖しい陰暗たる谷間。そんな風景が想像されたし、白い亡霊の行列とか、狸ばやしなどの話とともに、思いだすたび不快な、ぞっとするような気分におそわれたものであった。

彼が十六歳になった年の七月。虫干しのときに、偶然、叔父の遺品を見た。土蔵の中を片づけているといつか孫七の持って来た、あの油紙の包がみつかったのである。半之助はすぐに紐《ひも》を解いた。油紙は二重になっており、さらに風呂敷で包むという厳重さで、その中には数冊の筆記と、二枚の大きな地図ようのものがあった。

地図の一は武田氏の旧城址《じょうし》と、その出城の位置を考証したものであり、他の一は甘利郷の略図らしかった。筆記は見聞記が二冊、日記が三冊、それからもう一冊、表紙に「みどう清左衛門に関する調書」と書いたものがあった。半之助はちょっとためらったが、手ばやくその四五枚をめくってみた。

達筆ではあるが、文字は粗密こもごもで、統一がなく、乱暴に消したり、書き入れがあったりして、土蔵の中の光りでは、ちょっと判読がむつかしかった。そして、その一枚に、不規則な菱形《ひしがた》の、紋どころと思える絵をみつけたとき、母の呼ぶ声がしたので、慌《あわ》ててそれを片づけて立った。

いつか機会をみつけて、叔父の手記を悠《ゆっ》くり読みたいと思ったが、父が半之助の見たことを気づいたのだろう、どこかへしまい変えたらしく、たびたび捜したがみつからなかった。そして、時の経過とともに、しぜんと忘れてしまった。

落雷

一

宝永五年六月二日。将軍綱吉は、柳沢吉保《よしやす》の邸の、宴遊に臨むはずであったが、城を出るまぎわになって、急に中止された。

おなじ日、安倍半之助の家では、亡父、伊右衛門の三回忌に当り、麻布《あざぶ》南部坂の昌雲寺で、その法要をおこなった。寺へは十時にあつまり、終ってから家で昼食をだす。ということで、まえの日に、麻布谷町の安倍から、料理人がよこしてあり、また、その日は朝はやく、二女の佐枝が、若い召使を三人つれて、手伝いに来た。

「大げさなことになったものですねえ、なに様の法事ではあるまいし、ひどいもんだ」

半之助は、ふきげんに眉《まゆ》をしかめた。

「でも谷町でして呉れるものを、断わるわけにもいかないでしょう」

母のしづはさりげなく云った。

「それに、このあとは七回忌ですからね、三年にはどこでもこのくらいのことはしますよ」

「しかしそれだけの意味じゃないんだから」

独り言のように、口の中で呟いて、それからそこを去りながら、低いけれどもきっぱりした調子で云った。

「私は寺から脇《わき》へまわります」

母はなんとも云わなかった。

谷町の安倍は、一族の宗家に当るという。宗家などというと、ごたいそうであるが、お徒士《かち》から出た八百石の旗本で、当主になってから、うまく柳沢系にとりいって、現在は千二百石の大御番《おおごばん》を勤めている。こちらは一族の末席であり、三百石あまりの新御番にすぎない。そのうえ亡父の伊右衛門が、谷町とのつきあいを嫌《きら》っていたので、ごく稀《まれ》にしか往《い》き来《き》がなかった。それが父の死後、向うからにわかに近づいて来た。亡父も半之助が新御番になれたのも、じつは、谷町の奔走のおかげだそうである。

その席にいたが、むろん世襲ではなく、裏からしかるべく運動したり、金品を贈ったりしなければならない。それを進んでやって呉れた、ということは、半之助にしても有難い。さもなければ、小普請にはいって、ことによると一生、退屈きわまる生活を、送らなければならないからだ。

だが半之助は、それをすなおに、有難い、とは思えなかった。冲左衛門《ちゆうざえもん》という、その人は、時流に乗って出世する人間に共通の、押しつけがましさと、厚顔と、そして貪欲《どんよく》を兼ねそなえていた。その子の又五郎が、これまた父に輪をかけたような性質で、臆面《おくめん》もなく、柳沢家にとりついていて、まわりの者から、――柳沢の御用達、などと、卑《いや》しめられていた。そればかりではない、谷町が近づいて来た理由の一つは、二女の佐枝を、半之助の嫁に呉れよう、という気持らしいのである。

――とんでもない。

半之助は独りで首を振った。

母のしづは、谷町との縁組が、実現することを、のぞんでいた。相手は一族の宗家であり、うしろに柳沢という勢力がある。こういう条件は、当時のたいていの母親がそうであるように、しづにも強い魅力だった。良人《おつと》が生きていたときは、良人と同じように嫌っていたが、わが子の将来、出世のいとぐち、ということになると、あっさり変ることが、できるらしい。それが母の愛情かもしれないが、半之助には相当やりきれなかった。

寺へさきにゆくつもりで、玄関へ出ようとすると、中の間の廊下で佐枝にであった。

「今日は御主人役でたいへんね」

彼女はこう云って、大胆にこちらを見あげながら、親しげに笑いかけた。

「お友達がいらしったら、みなさんおつれしていらっしゃい、たくさん御馳走《ごちそう》しますわ」

「有難う、暑いのにどうも」

半之助はあいまいな返辞をして、そうそうに玄関のほうへ去った。

彼女とは二年このかた、ほんの三度か四度、それも挨拶《あいさつ》を交わすくらいの、つきあいしかなかった。顔だちもそう悪くはないし、利巧そうでもあるが、どことなく高ぶっているのと、あまりに狎《な》れ狎れしいのとで、半之助にはどうしても、好きになれなかった。

外は風がなく、かなり蒸して暑かった。南部坂のところで青山主馬《しゅめ》にあい、いっしょに坂をあがると、すぐ右がわにある昌雲寺の、門のところに、村田平四郎と正木重兵衛が、日を除《よ》けながら立ち話をしていた。

「また中止になったね、柳沢邸へのお成りが、知ってるかい」

正木重兵衛がせかせかと、こう云った。

「知らないねえ」

半之助はそう答え、すぐに村田へ話しかけた。重兵衛はなかまうちで、伝令、というあだ名がついている。つきあいが広くて、はや耳で口が軽い。わるぎは少しもないのだが、聞いたり見たりしたことは、ごくつまらないことでも、すぐ誰かに話さずにはいられない。自分でも気がさすのか、――われながらいまいましいんだ、しゃべったあとでいつも後悔するんだが、こいつばかりは病気なんだと思うね。などと云う。とにかく、これは誰それに話してやりたいと、思って、それを話さずにいると、胃のあたりがむず痒《かゆ》くなってくる、そうであった。

「しばらく、いつ帰ったの」

「今日で七日に、なる、かな」

村田平四郎はまぶしそうな眼をして、いつもの重たいような口ぶりで答えた。

彼は寺社奉行の役所に勤めているが、その用むきで、一年ばかり長崎へいっていた。公用のほかに、自分に必要な、本草《ほんぞう》学関係の書物や、資料を集める目的もあったのだが。

「今日のこと、よくわかったね」

「うん、……松室にね、……」

それでぽつんと切れた。

半之助は他の客の来ないうちにと思って、法事のあと、自分たちだけで、ぬけだす相談をもちだした。

「一議に及ばずだね」重兵衛は手を打たんばかりに、「木挽町《こびきちょう》の茶屋にしよう」

「しかし、それは、ねえ……」

村田平四郎はこう云い渋って、そうしてなにやら補足的な、一種の手まねをした。主人役がそんなことをしては悪い。というのであろう。彼はいつもそんなふうに、云いたいことをしまいまで云わず、半分は手まねとか、身ぶりなどで補うのが癖であった。

「いや、とにかくその接待というのが、とてもつきあえるものじゃないし、ほかにちょっとわけもあるんだ」

「理由なんかいいよ、手筈《てはず》をきめましょう」

重兵衛は独りで勇み立った。

そこで松室泰助が来たら、役所に急用ができたと云わせ、半之助がさきに寺を出る。

あとはそれぞれの口実で、木挽町の山村座の茶屋に集まる。ということに定った。

そこで重兵衛は松室とうちあわせのため、坂の下まで迎えにゆき、三人は方丈へあがったが、まもなく客が来はじめたので、半之助はおちついている暇はなかった。

客は思いがけなく多かった。単に多いばかりでなく、それには谷町の計画があったらしい。なんら縁のない客が四人もいて、読経の始まるまえに、冲左衛門はかれらに、半之助を紹介し、よろしく頼む、というようなことまで云った。

かれらはそれぞれが、その役所の支配といった身分で、なにか冲左衛門と特殊な関係でもあるのか、半之助に対してもあいそよく、「暇があったら、自宅のほうへでも、ぜひ遊びに寄って下さい」などと云った。なかの一人は望月《もちづき》内記といい、大目付の記録所の支配だそうであるが、自分のほうに近く空席ができるから、折をみて推挙するつもりでいる。というふうなことを仄《ほの》めかした。半之助は当らず触らずの挨拶をし、手があくとすぐに、友達なかまのほうへ引込んだ。

「なに者だい、あの爺《じい》さんは」

重兵衛が早速こう訊《き》いた。

「まるでこの法事の周旋人みたようじゃないか、主人公そっちのけじゃないか、いかなる人物かね」

「つまり今日の主人公さ」

半之助はそう答えながら、沖左衛門が、これらの客を家の接待にもつれてゆき、ことによると佐枝をも、彼と並べてひきあわせるのではないか、ということを想像し、これはどうしたってぬけださなければならない、と思った。

「松室に会えたのか」

「会えたよ、もう少したってから来る筈だ」

重兵衛がそう答えかけたとき、「ごぶさた致しました」と云いながら、半之助のそばへ来て坐った者があった。半之助にはちょっと誰だかわからなかった。

その若者は半之助より一つ二つ若く、軀《からだ》も顔も痩《や》せてほそかった。薄くて色の白い膚《はだ》は、神経がぴりぴり震えているようだし、際立《きわだ》ってするどい、敏感そうな眼鼻だちをしていた。

――誰だったろう。

たしかに知っている顔だった。特に微笑している唇のあたりが、……こう思っていると、それはほんの僅《わず》かな時間であったが、相手は侮辱されでもしたように、顔を歪《ゆが》めながら、

「五番町の遠藤です」と云った、「お忘れですか、千之助ですよ」

半之助はすぐ思いだした。そして、わけもなくどきっとしながら、「これは失敬、すっかり変ったものだから、ちょっと見それてしまった」

「そんなに変りましたか」

千之助はにっと笑った。

「そうじゃないでしょう、覚えていらっしゃらなかったんでしょう」

「――どうして」

「どうしてって、私はそう思うんですよ」

あいそよく微笑しているが、それは明らかに毒をもっていた。

半之助はそこでまたどきっとした。やさしげにはみえるが、皮肉で、人を嘲弄《ちょうろう》するような微笑。それは千之助には父、半之助にとっては叔父に当る人。約十年まえに、かんば沢でふしぎな失踪《しっそう》をした、兵庫その人のものに、ひどく似ているようだった。

――ああ、あの笑い方だ。

――だが、そんな筈はない。

半之助はこう思いながら、(いどむような相手の調子には構わず)五番町ではみなさん御健在ですか、と話をそらした。千之助もまたそれには答えなかった。なにやらあざ笑うように白い歯をみせ、

「またあとでお眼にかかります」

こう云って向うへ去った。

「なんだいあれは、おそろしくずけずけものを云うじゃないか」

重兵衛が舌打ちをした。半之助はにわかに気が重くなった。若い従弟《いとこ》のつっかかるような態度や、歪んだ、毒のある笑いに、なにやら不吉の予告めいたものを感じたからである。

――ばかな、そんなことがあるわけがないじゃないか。

そう否定してみても、その暗い不快な感じは、水のしみるように、半之助の全身にひろがっていった。まもなく母が呼びに来た。

本堂に移って施主の席につき、読経が始まるとすぐ、松室泰助が、いかにも忙しそうにやって来て、そそくさと母に会釈《えしやく》をし、半之助の耳へ口をよせて囁《ささや》いた。

「なにぶん急のことで、……すぐに、なるべく早く」

そういうところだけ、わざと隣りの母に聞えるように云った。

半之助は頷《うなず》きながら、ふと千之助のほうを見ていた。彼は大目付記録所の、望月内記のそばに坐って、なにやら、親しげに、話しかけていた。

二

役所の急用という理由は認められたが、すぐにはぬけだすことができなかった。

沖左衛門は露骨にいやな顔をした。客たちの焼香がすっかり済み、方丈で挨拶をしてからゆくように、なおまた、接待の宴にまにあうように帰れ、と命令するように云った。

そのときは半之助もむっとし、――貴方《あなた》はいったい誰ですか。と、口まで出かかった。

「しかし云わなくてよかった」

寺から出ると、彼はこう呟《つぶや》いて、思わず独りで微笑した。谷町の本当の目的がどうあろうと、亡父の法要のため、尽力して呉れている、ということは、事実だったから。

「云うべきときはほかにあるさ」

そう独り言を云ったが、なにやら気負っていることに気がついて、半之助は自分で、てれてしまった。

山村座は木挽町五丁目にある。歩いて小半刻《こはんとき》。少し風立ってきたし、雲がひろがっているのに、気温の高さは少しも変らず、ゆきついたときには、すっかり汗になっていた。

茶屋は三十間堀の河岸《かし》に面していた。芝居小屋が本建築になり、桟敷《さじき》や桝《ます》などが出来てから、観客の風俗も変って、一種の社交場、宴席といったふうな感じさえ、あらわれだした。殊《こと》に二階の桟敷には、富商の子女や、身分ある武家や、御殿女中なども来て、前には御簾《みす》を垂れ、屛風《びょうぶ》をまわしたりして、きらびやかに、酒もりなどをするさまが、よくみられた。

こういう客のなかには、小屋から渡り廊下で、山村座の座ぬし、長太夫の住居へいって、そこで役者を相手に、酒宴をする者があり、それがしだいに殖《ふ》えるばかりなので、数年まえ、河岸ぞいに、二階造りの座敷を建て増した。木内文蔵という狂言作者の妻で、お勝というのが采配役《さいはいやく》になり、女中も五人ばかり、置くようになった。

半之助の父は芝居が好きで、気にいった狂言だと、ひと興行に五度も七度も通った。座主の長太夫も、父の死ぬまでは、一つ木の家へよく出入りしたものである。

彼が一人で来はじめたのは、一年ばかりまえからであった。それも芝居を見るよりは、酒を飲んだり、ものを喰《た》べたりするほうが主で、友達もつれてゆくし、独りでもしげしげいった。自分の家以外で、当時そんなふうに、くつろいで飲み食いのできるのは、遊里や岡場所を除くと、まず芝居茶屋しかなかったし、そこには、ほかとは違った一種の気分、……華やかさとものかなしさ、活気にわき立っていながら、ふとおそってくるはかないような侘《わび》しさ。そういうものがあって、彼にはつよい誘惑であった。

「あらお珍しい」

女中のいそがとびつくような声をあげた。広蓋《ひろぶた》を持って、顔じゅう汗だらけであった。

「おなをさんがお待ちかねよ、どうなさいましたの、このごろ」

「いつもの座敷でいいね」

半之助は構わずあがった。

「とにかく汗を拭《ふ》かせて貰《もら》おう」

「はい奥方にそう申します」

二階へあがって、堀に面した端の座敷が、彼の席と、定ったようになっている。そこへはいって、袴《はかま》をぬいでいると、お勝が挨拶に来、あとからおなをという女中が、半挿《はんぞう》と手拭《てぬぐい》を持って来た。

汗を拭いて、茶屋の浴衣《ゆかた》にくつろぐと、昨日からの気疲れが出て、風とおしのよいところへ、まず横になった。

「どうなさいましたの、暑気に当りでもなすったんですか」

「そんなところだろう、みんなの来るまでひと眠りするよ」

「それならこれでは明るすぎるでしょう、小屏風でも立てましょうか」

「なにこれでいい、ただ呼ぶまで誰も来ないようにして呉れ」

おなをはいちど出てゆき、派手な柄《がら》の帷子《かたびら》を持って来て、裾《すそ》のほうへ掛けた。

「あたしので失礼ですけれど」

そして黙って、こちらを見まもった。

「どうしたんだ」

こう云って眼をやると、さびしげに笑いながら、首を振った。小さな唇の間から、糸切歯が見えた。

おなをはその年の春芝居から、初めてこの茶屋に勤めだした。淋《さび》しい顔だちの、沈んだ感じの娘で、ほかの女中のように、うるさくないのが気にいり、来ると彼女に用を命ずるようになった。彼としては、それ以上になんの感情ももってはいないし、他の女中たちが、つまらない思わせぶりなようなことを云うのも、むろんこういう場所のおさだまり、にすぎない。

「あっちへゆかないか、またおいそなんぞにからかわれるぞ」

「あたし、御相談したいことが、あるんですけれど」

そう云いかけたが、半之助が黙っていると、思い返したように溜息《ためいき》をつき、「でもこの次にしますわ、どうぞごゆっくり」

こう云って立っていった。

座敷は下に五つ、二階に七つある。芝居の開演ちゅうは、桟敷で飲み食いするから、こちらは稀《まれ》にしか客がない。座敷の仕切は、夏のことで、襖《ふすま》の代りに荻《おぎ》の簾戸《すど》が入れてあり、客のいるときは、白麻を垂れた帳《とばり》をまわすが、今は二た座敷向うまで、涼しげに透けて見えた。

「おい、夕立が来そうだぜ」

下の裏手で男の声がした。

「いまのうち干し物をとりこんどかねえと、あとでまた騒ぎだぜ」

堀に向った窓から、さっと、冷たい風が、かなり強く吹きこんで来、やがて遠く雷鳴も聞えはじめた。

――降りださないうちに来ればいいが、なにをぐずぐずしているんだろう。

そんなことを思いながら、いつかしらうとうとと眠りかけた。小屋のほうから急調子の囃《はや》しと、観客のざわめきとが、幕間《まくあい》を告げるかのように、賑《にぎ》やかに聞えてきた。芝居は二代目市川団十郎の立役で、曾我《そが》狂言がたいそう当り、月を越しても、連日の大入だし、通例なら休む季節であるが、この月いっぱいは続演する、ということであった。

半之助が殆《ほと》んど眠りかけたとき、人の来るけはいがして、眼をさまされた。

「やっと来たか」

そう呟いたが、そうではなくて、一つおいた向うの座敷の、客であった。

半之助はそのまま眼をつむっていた。しかしまもなく、その座敷のほうが気になりだした。人の立ち居のけはいはするが、話し声が聞えないのである。二三人はいるらしい。しばらくしても、なんの声も聞えないし、どうやら摺《す》り足で出入りするのが、へんにものものしく耳についた。

——なに者だろう。

半之助はそっと眼をあけた。頭をあげなくとも横になったままで、そこは透けてみえた。そして、そちらへ眼を向けるなり、彼は息をのんだ。

その座敷のまん中に、若い女が、素裸になって立っていた。

肌衣《はだぎぬ》も下のものも、いま脱ぎすてたところらしい。浅黄色の（寸の詰った）肩衣《かたぎぬ》と袴をつけた、屈強の若者が三人いて、一人は脱ぎすてたものを片づけ、他の二人は、半挿(それは漆塗りに金で定紋を置いた)の水で、手拭を絞っていたが、半之助の眼にはかれらの姿は見えず、そのあらわな裸身だけが、視界いっぱいをふさぐように思えた。

はじめのうち、それは、かなり非現実的な印象であった。ぜんたいがぼうと光暈《こううん》に包まれた、この世のものでないような白さと、なめらかに重たげなまるみが、眼に止めがたい幻の揺曳《ようえい》のようにみえ、ついで、なまなましくあざやかに、小さな肩とひき緊《しま》った胸乳《むなぢ》と、きわだって広い腰と太腿《ふともも》とが、眼を奪った。

たしかに、こちらが見るというより、眼を奪われたという感じであった。

このあいだに二人の若者(それはどちらも美男というにふさわしかった)が、手拭を絞っては、彼女の肌の汗をぬぐっていた。全身をのこる隈《くま》なく、巧みな馴《な》れた手つきで、拭いていたのであるが、半之助にはそれが殆んど眼につかなかった。むしろ、あらわな裸身を、さらにあらわにしてみせるようでさえあった。

汗を拭き終ると、かれらはその女主人に、新しい着物を着せた。

そのときふいに雷鳴がおそいかかった。

白い、いなずまが横さまにひらめき、同時にぱりぱりと、つんざくような音が鳴りはためいた。若者たちの、一人が畳に俯伏《うつぶ》し、他の二人がとびあがるのを、半之助は見た。

女は平然と立っていた。

片手で袂《たもと》を抱え、片手を帯の上に置いて、そして、その顔を、こちらへ向けた。

女は半之助を認めたようであった。半之助は息が詰るように思った。女の顔は単に美しいというより、一種の悪徳を想わせる美しさであった。それはまる顔とも、細おもてともいいかねた。上唇のわきに、かなり大きなほくろがあるのと、極めて個性のつよい双眸《そうぼう》（彼はかつて一度もそういう眼を見たことがなかった）その二つが半之助の眼に灼《や》きついた。

座敷の中は、黄昏《たそがれ》のように、暗くなっていた。いなずまは白く、青く、ひらめき、走り、雷鳴は建物ぜんたいを震撼《しんかん》させ、揺りたてるように思えた。

三

ふと気がつくと、女はもうそこにいなかった。

半之助は魅せられたもののように、だれもいなくなった座敷の、ひとところを見まもっていた。そこに、漆塗りの半挿が、それまでの出来ごとを証明するかのように、ぽつんと置かれてあった。

彼の眼は、その半挿の、金蒔絵《きんまきえ》にした定紋に、吸いつけられていた。簾戸《すど》ごしなので、はっきりとはわからないが、なにかの鳥の翼をひろげたような、菱形《ひしがた》を集めたかたちの、珍しい紋であった。

——どこかで見おぼえがある。

彼は漠然《ばくぜん》とそう思った。だが意識はそこに止ってはいなかった。すはだかになった女の肌の白さや、重たそうなまるみや、おどろくほど逞《たくま》しい腰部や、そしてすでに印象のぼやけた、異様に美しい顔や、きらきらする双眸などが、幻想のひらめきのように、現われては消え、また現われては消えした。

雷鳴は続いていた。暗い座敷の中は、ときに眼のくらむような閃光《せんこう》ではじけ、あらゆる物をひき裂くかのように、雷鳴が頭上でとどろき狂った。

芝居茶屋で、女が裸になって汗を拭く、というくらいのことは、決して異常ではない。また、それを見たということも、稀な機会ではあるかもしれないが、あり得ないほどの偶然ではないだろう。にも拘《かかわ》らず、それは半之助を、かつて経験したことのない、罪に似た感覚のおどろきと、恐怖にちかい魅惑とで押し包んだ。

「ばかな、なにをそんなに」

やがて彼はこう呟いた。そんなことに気を奪われている自分が、ふと自分で恥ずかしくなったのである。

「――つまらない」

吐きだすように云って、起きなおって、片方の腕の、痺《しび》れたところを揉《も》んだ。

下の裏手で、なにやら人の騒ぐ声がした。半之助はぼんやりそれを聞きながら、頭はまた同じところへもどっていた。裸になって汗を拭くことは、たしかに異常ではない。けれども女がそのような場所で、たとえ召使にもせよ、三人もの若者の前に素肌をあらわし、かれらの手で汗を拭かせる、というのは、少なくとも尋常とはいいがたい。

――いったいなに者だろう。

武家でないことは、若者たちが、浅黄色の肩衣をつけていたことで、ほぼわかる。またかれらの、どこかしらものものしい態度から、遊芸人の類でないことも、察しがついた。おそらく富裕な町家の者だろうが、人の妻だろうか、娘だろうか。

――眉《まゆ》はおとしていなかった。

しかしそうではない、眉はなかったようだ。こんなふうに思っていると、乱暴に、どたばたとおいそがあがって来て、「おつれさまですよ」と云いながら窓へ走りよった。

「かみなりさまが落ちたんですってよ、尾張町の山幸っていう呉服屋ですって、あらあら、ほんとだわ、あんなに煙がいっぱい」

そのときまた雷鳴がおそいかかった。おいそは両手で耳をふさぎ、身をちぢめながら、そうぞうしく独りで叫びたてた。

そこへ遠藤千之助が入って来た。

「あの人たちはおくれますよ」

彼は入って来るなり、こう云った。

「谷町に捉《つか》まりましてね、逃げられなくなってしまったんです、それで私がひと足さきに、そのお知らせを兼ねて来たんですがね」

「それはどうも」

「ほかにちょっとお話もあるもんですから、招かれない席へ失礼だとは思ったんですが、御迷惑じゃありませんか」

「そんなことはない、どうぞ」

半之助はおいそに振返って、酒の支度をするように命じた。おいそはうわのそらで、まっ赤な火が見えだしたとか、隣りへ燃え移りそうだとか、みれんらしく云いながら、下へおりていった。

「あの人たちはそれぞれ面白いですね」

千之助は坐《すわ》るとすぐに、扇をつかいながらこう続けた。寺のときと同じで、人をばかにした、からかうような調子である。

「村田という人は老いたる篤農家《とくのうか》といったふうだし、青山氏はゆうゆうと捻《ひね》ったようなことを云うし、松室という人は、あの人はまあ、あれだけの人らしいけれども、正木さんはまたひどく無邪気で」

彼はくすくす笑った。

「本当は私がちょっとかまをかけたんですよ、すると正木重兵衛氏がみごとに口をすべらしましてね、たちまち感づかれてしまったというわけです、じつにわる気のない、愛すべき人だと思いました」

「そのとおりだ」半之助はわきを見て云った、「みんなわる気のない人間だよ」

「そしてみんながお互いに信頼しあっている」千之助は従兄《いとこ》の皮肉などそ知らぬ顔で、「私はほんのしばらく話しただけですが、すぐにわかりましたね、みなさんの固い純真な友情のつながり、といったものがです、じつに素朴で美しいと思いましたよ」

「――」

「あれですか、みなさんはどういう関係でお知合になられたんですか、学問所ですか」

「話というのはそのことか」

「むろんそうじゃありませんが、ちょっと珍しかったし、この軽薄な、ごまかしだらけの世の中に、どうしてこんな友情が生れたか、ちょっと興味を唆《そそ》られたんです」

「――空雷《からかみなり》かな」

雷鳴の遠のいてゆく空を見やりながら、半之助は独り言のように呟いた。あれだけひどく鳴って、空もまっ暗になったのに、雨の来るようすはなく、切れめの出た雲のあいだから、しだいに青空のひろがってゆくのが見えた。

「私と話すのはおいやらしいですね」

「――どうして」

「ごきげんも斜めのようだし、質問にも答えて下さらない」

千之助はまたうす笑いをした。

「それはいま始まったことじゃない、貴方がいつも私を避けていらっしゃることは、ずっとまえから知っていました、いくら一つ木のお宅へ伺っても、いちどとして親しく話をして下すったことがない、必ず私を避ける、どうしてなんですか」

「――そんなことはない、それはおそらく偶然だろう」

そのとき、おいそとなをが、酒肴《しゅこう》の膳《ぜん》をはこんで来た。

「偶然ですって、とんでもない」

女中たちが去るのを待ちかねたように、千之助はちょっと詰めよるといった態度になった。

「理由はおよそわかってるんです、隠したってだめですよ」

「隠すって、なにを……」

「云いましょうか」彼の額がすっと白くなった、「私の父のことです、父と母のことですよ」

「――わからないね」

「だめですよ、貴方はいまぎくりとなすったし、私の眼が見られないじゃありませんか、なにもかも知っているということが、お顔にちゃんと書いてありますよ」

「失敬だが帰って呉れないか」

半之助は穏やかに云った。

「なんのことだかわからないが、私は他人から、そんなふうに云われることに、慣れていないし、こんなところで、こんな問答をしたいとも思わない、話があったら家で聞くことにしよう」

千之助はじっとこちらを見た。細ながい、痩《や》せた、神経のむきだしになっているような顔が、ふとべそをかくように歪《ゆが》んだ。

「——貴方にはわからない」

彼は呟くように云った。

「——私のような親を持った人間が、どんな気持で生きているか、どんなに辛《つら》い、恥ずかしい気持で、毎日、毎日をくらしているか」

「——」

「貴方は、帰れ、と云うことができる、そして、私が帰れば、それでさっぱりする、まもなくお友達が来るでしょう、お互いが肚《はら》の底まで知りあい、信頼しあっている、お友達が」

「——」

「誰に気兼ねも、遠慮もなく、楽しく酔い、思うままに語りあうことができる、そのときはもう、私のことなど、貴方の頭には影も形もない、もし思いだすとすればですね、私には眼に見えますよ、貴方はふんと鼻をならして、ああ、あのいたずら女の」

「もういちど云うがね」半之助はがまんが切れたように、かなり荒い声でさえぎった。

「そんなわけのわからない、不愉快なことを云うのはやめて呉れないか、私には少しも興味がないし、うっとうしくなるばかりだ」

「ほう、うっとうしいですか」

千之助は刀を取って、左の手に持ちなおした。

人と対座するばあいには、刀は右の手に持ち、右がわに置くのが、作法である。さもなければ、害意がある、とみられても、しかたがないのであるが、いま千之助が左手に持ち替えた態度には、衝動的な、殆んど殺気に似たものがあった。

「ひとこと云っておきますがね」彼は震えながら云った、「私は貴方を憎んでいるんですよ、貴方が私の家の秘密を知っていることで、もう一つ、父が私より貴方を愛していたことで」

半之助は黙っていた。

「私はいつか貴方と決闘することになる、貴方が生きて、幸福でいることは、私には決してゆるせませんからね」

そして彼は、出ていった。

半之助は重くるしい気持で、独り盃《さかずき》を取りながら、不吉なことが起こりそうだ、と思った寺での予感が、どうやら本当になった、ということに気づき、「いったい、なにが始まるんだ」こう呟いて、溜息《ためいき》をした。まもなく、村田や青山たちが、やって来た。

若い消息

一

新御番は、俗に「番方《ばんかた》」ともいわれた。

半之助の詰める役所は、中の口をはいった北がわにあり、縦に長い十帖《じょう》ほどの広さで、書類をおさめる文庫と櫃《ひつ》が左右に並び、そのあいだに、古びた机が五つ置いてある。廊下に面したほうは明り障子であるが、他の三方は壁と襖《ふすま》なので、うす暗いうえに、いつも湿気が絶えなかった。

梅雨から秋ぐちへかけて、それがもっともひどく、朝はやく出仕すると、敷き畳に青黴《あおかび》のはえていることなども、稀《まれ》ではなかった。部屋の中は年じゅう、物の饐《す》えるような匂《にお》いが、こもっていた。天床《てんじょう》も柱も、襖も、障子の桟《さん》も、みな煤《すす》けて古び、蠅《はえ》の糞《ふん》がいちめんにこびり付いている。そして、これらのものは、ときにじっと眼をとめていると、絶え間なしに磨《す》り減り、頽《くず》れ朽ちてゆくのが、見えるようであった。

出仕し始めてから約二年。半之助はすでに、勤めの単調さに飽きていた。仕事は書類の整理であるが、その内容が無味平板であるのに反比例して、どんな些《さ》細《さい》な字句の末にも、煩《はん》瑣《さ》を極めた規則と法式があり、一分一厘もそこから動くことがゆるされない。それがなにより、やりきれなかった。

創意やくふうのない仕事、進歩のない事務ほど、人を疲らせ、飽きさせるものはない。そのとしごろの青年たちが、一般にそうであるように、彼も自分の将来に夢をもっていた。はっきりしたかたちではないが、それは充実した、輝かしい、血をわき立たせるようなものであった。

――生れてきたこと、生きていることを、祝福したくなるようなもの。

――そして、彼でなければ、それは為《な》し得ないし、彼のためにだけ、存在するようなもの。

そういうなにかが、有る筈《はず》であった。

しかしどうやらそれは、若さの空想でしかない、ということになりかかっていた。いつ日々の単調な事務や、同じ役所の同僚たちが、現実に、その証拠を示していた。いつか、机を並べている、金井なにがしという同僚が、にやにや笑いながら、こんなことを云った。

——そんなにあせってもむだですよ、世間にはもっといろいろな生き方がある、第一歩から始めて、しだいに発展して、やがて実をむすぶ、というようなのがね。

——だがわれわれは始めから、目的地に立たされるわけです、いってみれば水のいっぱい詰った壜《びん》のようなもので、いま生活しているこの状態が、このまま終りまで続く、ここからさきにはなんにも無い、壜はいっぱいで、一滴の水を加えることもできないんですよ、まあゆっくりやるんですな。

そのとき半之助は答えた。

——誰も彼もが、その壜をごしょう大事に、持っているとは限らないでしょう、私なら、ときには中の水をぶちまける、くらいのことは、やってみたいですね。

——やってみるんですな、但《ただ》し、早くしないと、その元気がなくなりますよ。

金井という男は笑った。

彼の云ったことは、そのままでないにしても、かなり事実にちかい、ということを、僅《わず》か二年ばかりのあいだに、半之助はほぼ理解した。

もちろん、半之助はそれを、肯定しているわけではない。現実の証明するものが、いかに動かしがたくみえるにせよ、そのために、自分の将来を諦《あきら》めたり、絶望しているわけでもなかった。

彼にはいま、四人の友がある。青山主馬のほかは、昌平黌《しょうへいこう》からの知りあいであるが、かれらとも、しばしば、そのことを語りあった。言葉を飾ったり、衒《てら》ったりする必要のないなかまなので、相当くどく論じあったものであるが、——このままではだめだ、なにかしなくてはいけない。という点は一致しても、ではなにを為すべきか、という段になると、誰にも、具体的な思案は出なかった。

村田平四郎はみんなより二つ年長であるが、気質も沈着だし、老成しているといったふうで、こういう問題については、あまり意見を述べない。当惑したように、口ごもって、なにやら身振りをするばかりだった。

松室泰助は、しんこくに考えこむだけだし、正木重兵衛はしきりに説を立てるが、あまりに飛躍的であり、また矛盾が多かった。

——要するに反抗でしょう、世間一般の俗習に抵抗することでしょう。

彼はこう云ったことがある。

抵抗の第一着手は「結婚を拒否する」ことである。妻をもち、子が生れ、温かい家庭ができる。勤めにも故障がない、という状態が、精神をふやけさせ、人間を飼い犬のようにする。だからこそ、真理を探求する禅家では、思考の自由を確保するために、一生不犯《ふぼん》の戒律をまもるのである、などといきまいた。しかし、五人のなかで、いち早く結婚したのは、当の重兵衛であった。

青山主馬は家が近所なので、幼いときからの友であり、半之助にはもっとも遠慮のない相手だった。

彼には不幸な恋の経験がある。相手は青山家の遠縁の者で、稲垣数馬という、二千石ばかりの旗本の娘であった。名はしほといったが、主馬が十八歳、しほが十六歳のとき、お互いに恋しあい、逢《あ》うことはごく稀にしかなかったが、手紙はしげしげと遣《や》り取りした。半之助はそれをうちあけられ、手紙のなかつぎもした。ときには娘からの文《ふみ》を読まされたこともあるが、たいへん熱烈な、そして情緒のあふれる文言《もんごん》であって、――あなたと御夫婦になることができなければ、死んでしまうか、尼さんになるほかはない、このことは命にかけて誓う。そんなふうな、むやみなことを、番たび書いて来たようだ。正直のところ、半之助はうらやましかったし、嫉妬《しっと》もしたが、それ以上に感動させられたものである。

それから約一年半ばかりして、しほは左《さ》のような手紙をよこして、他へ嫁にいってしまった。

――やむを得ない事情で結婚することになった、あなたが自分を愛して呉れるのなら、どうか自分の幸福を末ながく祈ってもらいたい、自分はたぶん、思いだすたびに、あなたのために、泣くことであろう。

主馬はその手紙を、半之助に読ませたとき、けむったいような表情をして、ゆっくりとこう云った。

――おれは今、自分が三銭くらいのねうちしかないような、こころもちだ。

遠藤千之助が、青山氏は捻ったようなことを云う、といったが、それはそのころから始まった癖であった。

二

充実した、意義ある、望ましい生き方をするには、どうしたらいいか。

五人のなかまのうち、これを、もっともしんけんに考えているのは、半之助よりも、むしろ青山主馬であったかもしれない。彼は決して正面からは、そのことを論じなかった。例の捻ったような、そらをつかうようなことを云うので、正木重兵衛や松室泰助などは、どうかすると、ふざけるな、といったふうな顔をした。

だが半之助にはそうでないことがわかる。主馬は自分の感じたこと、考えたことを、できるだけありのままに、云い表わそうとするのである。そして、ずいぶん持ってまわった表現をするが、よく聞いていると、まじめで、味わいのふかい意見が、少なくなかった。

父の三回忌の日から、つい四五日して、ちょうど非番の日であったが、十時ころに青山主馬が訪ねて来た。母親は酒の支度を命じてから、谷町へこのあいだの礼にでかけたので、主馬も袴《はかま》をぬぎ、のんびりとくつろいで話した。

「この家ではちかごろ、すぐに酒を出すようだが、お父さんの代からの習慣かね」

「いやこのごろだよ、父は酒は嫌《きら》いではなかったけれど、特別な客でもない限り、酒を出すようなことはなかった」

「すると、安倍の好みか」

「それもあるが、そればかりでもないんだ」

半之助は苦笑した。

「はじめはね、母がおれを一家の主人にしたいという、あまやかした気持があったらしい、こんなふうに構えて、もっともらしく盃など持っていると、ちょっとたのもしくみえるらしいんだな、こっちも酒でも飲むほかに、気のまぎらしようがない状態だから、つい、便乗していたんだが、少しまえから、それとはべつの意味をもちはじめたんだ」

「――というと」

「一種の賄賂《わいろ》というやつさ、はっきり云うとごきげんとりだね」

「――すると」

主馬はふと思い当ったように頷《うなず》いた。

「縁談というわけだな、あの法事の日に来ていた人だろう」

「どうして知っている」

「どうしてって、正木の失言で、われわれはこの家へ来ざるを得なくなったじゃないか、あのとき給仕に出たんで、拝見したのさ」

「そんなふうがみえたんだな」

「明らかに、嫁の候補者という、ようすだったね」

「つまり、それさ」半之助は盃を下に置いた、「いつか話したと思うが、谷町というのは立身出世主義と、物欲の固まりのような人間なんだ、父も嫌っていたし、おれもとうてい好きにはなれない」

「しかも、みこまれたわけか」

「それもおれの人間をみこんだのではなく、要するに頭数の問題さ、老人は少将（柳沢吉保）にとりいって、自分の勢力を拡張することに狂奔している、おれに娘を呉れて、陣笠《じんがさ》の数を殖やそうというつもりなんだ」

「そしてお母さんは、そうなさりたい、というわけか」

「まだあからさまには、云わないがね」

半之助はにがい顔をした。

「そうだとすると、よほど警戒しなければいけないな」

主馬が云った。

「なんについて……」

「この縁談さ、谷町の老人は強敵だ、あの人の着物のなかみは人間の軀《からだ》ではなくて、自信そのものだね、自分がそうしようと思えば、どんな手段をもちいても、必ずやってのける、という人がらだよ、それにあの令嬢までが、じつに父親によく似ている」

「まさしくね」

「安倍と結婚することは、安倍へとつぐことではなくて、庇護者《ひごしゃ》になることだと確信しているよ、親も娘も、仮にもこの縁談を拒絶されようなどとは、思っていないね」

「それは向うの自由さ」

「よろしい、だが向うではこちらの自由など認めやしないぜ」主馬は自分の盃に酒を注《つ》いだ、「それには、もうひとつ、こういうことがある、さっき安倍は、谷町の老人が頭数を殖やす、と云ったね」

「事実そうなんだ」

「いやそれ以上なんだよ、頭数、それは老人だけじゃない、少将の帷幄《いあく》ぜんたいが、そのために今やっきとなっている」

　半之助は疑わしげな眼をした。主馬は盃を持ったが、飲もうとはしないで、どう云おうかというように、ちょっと首をかしげた。

「柳沢はもう危なくなっている」

「それはずっとまえからさ」

「だがこれまではみな立ち消えになった、なぜだろう、柳沢退陣という情勢は、うわさだけでなく、事実いくたびも、かたちにあらわれたんだよ、それがどうしてうやむやに終ったか、わかるかね」

「まあ聞きましょう」

「つまり、要約すると、殺生禁断さ」

　そこで主馬は酒を飲んだ。

「あの禁令はむろん柳沢が出したものじゃない、しかし法令を持続させたのは彼だろう、たびたびの反柳沢運動にも拘《かかわ》らず、彼の地位がゆるがず、甲府城主となり、大老などと僭称《せんしょう》されるようになったのは、ひとえにそのおかげさ」

「しかしあの狂気じみた禁令は、むしろ彼の首縄《くびなわ》になっていると思うがね」

「その反対さ、まるで逆だったんだ」主馬は面白そうに笑った、「あの法令が行われる限り、庶民の一部と、役人の多くの部分が、ひじょうに儲《もう》かる」

「――ははあ」

女「信じられないか、では訊《き》くけれども、われわれは毎年、猪《いのしし》や兎の肉を喰《た》べるし、鶏はもちろん、牛や豚の肉まで喰べた筈だ」

乙　半之助はいやな顔をした。数年まえに、重兵衛の奔走で、一席設け、そこで騙《だま》されて、そうとは知らずに、豚の肉を喰べた。味噌煮《みそに》であったが、そして、豚そのものは
彦見たこともないけれど、あとでそう聞いて、ひどく胸の悪い思いをしたことがあった。

「われわれの祖父や、父たちの若いころには、こんなにたびたび、鳥獣の肉を喰べやしなかった、その季節に薬食といって、軀の弱い者が栄養をつける、という名目でた
山しなむ、という程度だった、そうじゃないか」

「それはまあそうだろうが」

「むろん一般論としてさ」主馬はまた酒を啜《すす》った、「少し誇張していうと、殺生禁断

の法令が出てから、鳥獣を殺すことを禁じられてから、われわれは却《かえ》って鳥獣の肉の味を覚え、それまで見向きもしなかった者さえ、好んで喰べるようになった」

「なるほどねえ」思わず半之助は笑いだした、「うがちすぎる云い方だが、当っているかもしれない」

「しかもそれが、当然のはなしだろうが、みんな隠れたしょうばいだ、日を定め、場所を定め、人数をそろえて、ひどく手のこんだ、ものものしい仕掛けでやる、代価はむろんばかげて高いし、禁令の出たはじめはよく知らないが、近年はまるで組織化しているようなものだ、そして絶対に捉《つか》まる心配がない」

「そうらしいな」

「なぜなら、役人は上から下まで、充分に金を握らされ、酒食の餌《えさ》と、物品の贈与とで骨抜きにされている、それは初めのうち別途の利得であったが、やがて生活のための必要収入になり、それ無しにはやってゆけなくなる、しぜん、かれらは検察官でありながら、庇護者、加担者とならざるを得ない」

主馬はまた手酌《てじやく》で一つ飲んだ。

「また一面、こういう秘密な、禁を犯す宴席というものは、公私ともに、不正な取引に利用される、ばかげて高価な支払いが、充分につぐなわれるような取引、……こんなふうに云うだけでは、さしたることもないように思えるだろう、しかし表面にあらわれないで、かげで動く金というやつは、ひじょうにひろく蔓延《まんえん》するし、同じちからで人を毒する」
「それで、それが柳沢とどういう関係にあるというんだ」
「柳沢政治の非をあげてもしようがない、またそんな興味もないが、彼を排斥する動きのあるたびに、彼を支え、逆に彼をふとらせたのは、こういうかげで流通する金のちからなんだ、ひろい範囲の役人どもの生計の出所であり、大きな不正取引の場となっているもの、すなわち、殺生禁断という法令を持続するために、柳沢の地位は支えられて来たのさ」
「いささか春秋の論法だな」
「その証拠を見せるよ」
「まっぴらだね、おれが証拠を見てどうするんだ」
「そいつは安倍自身の問題さ」主馬は話を戻した、「ところでだ、今日までは、これらの条件で命脈を保って来たが、しかし毒はどこまでも毒で、それが溜《た》まるうちには必ず血肉を腐らせ、精気を涸《か》らす」
「それは、柳沢邸へのお成りが、しばしば中止されたことをいうのか」

「今年になってから三度めだ、しかも柳沢少将には、もはやそれを押し切るちからがない」

「そんならもう文句はないだろう」

「うう……」

妙な声をだして、主馬は酒を飲んでから、なにやらとりすました眼つきで、半之助を見た。

「つまりこの際、谷町のお婿《むこ》さんになるのは、不得策だということなんだが、そのついでにだね、いま云った証拠というのを見せたいんだ」

「なんの証拠をさ」

「柳沢をどういうものが支えているかという、じっさいの情景さ、そして、そのうえで相談もあるんだ」

「なにか曰《いわ》くありげだね」

「ないこともない」主馬は、半之助の疑わしげな眼を、やわらかに微笑で受けた、「しかし曰くはあとの相談として、ともかくつきあって呉れないか」

「まさか例のを食いにゆくんじゃあるまいな」

「食ってもいいじゃないか」

「この暑さに、冗談じゃない」

「いやならむりに食うことはないさ、いちど見ておいても損はないけしきだよ」

もう少し日が傾いてから、ということで、ともかく、証拠とやらいうのを、見にゆくことに定《きま》ってしまった。

三

あとで思うと、それは計画的であった。主馬は初めから、さそいだすつもりで来たのである。しかし、単にそれだけの意味ではなく、その裏にもうひとつ、べつの理由があったのであるが。

二人がでかける少しまえに、母が佐枝を伴って、谷町から帰って来た。

佐枝はきれいに髪化粧をし、白い桔梗《ききょう》の花束を持って、母のあとから、さわやかに笑いながら、客間へはいって来た。まるでこの家の者のように、こだわりのない態度で、主馬にも馴《な》れた挨拶《あいさつ》をし、「わたくしが丹精して咲かせましたの、きれいでございましょう」

などと花を見せた。

「これをお床へ活《い》けますから、そうしたらお給仕を致しますわ、もう少しお二人で召上っていらっしゃいませね」

「それは有難いですが」主馬が代って答えた、「友達と集まることになっているので、お帰りを待っていたんです、貴女《あなた》のお給仕で頂けるとわかっていたら、べつの日にしたんですがね、ひじょうに残念です」

「半之助さまもごいっしょ」

彼女はきらっとこちらを見た。じかに名を呼ぶとは不躾《ぶしつけ》である、彼は黙って頷《うなず》いた。

佐枝は明らかにむっとしたらしい。しかし勝ち気な性分で、そんな顔色をみせては、自分の負けだと思ったのだろう。

「またお逃げになるのね」と笑いながら睨《にら》んだ、「法事の日のように、……お隠しなすってもだめよ、ちゃんとわかるんですから」

「てきびしいですね」

主馬は苦笑し、あえて弁解はしなかった。

母がそばから、なにか眼《め》まぜをしていた。たぶん、おまえだけは残れ、というのであろう、半之助はそっけない顔で、佐枝が出てゆくとすぐに座を立った。

外はまだ日が暑かった。

「自信まんまんたるものだね」

扇子で日を除《よ》けながら、主馬がそう云って、ちょっと口ごもった。

「あの人はすっかり裸にして、軀の内部までひっくり返してしらべても、ひけめとか羞恥《しゅうち》などという感情は欠けらもない、というふうだ」

それから笑いながら、「しかし悪くはないな、ああいう女性は良人《おっと》を出世させるよ、家政のきりもりも上手だろうし、客あしらいはうまいし、上役なんぞを籠絡《ろうらく》するのは巧みだろうし」

「気にいったら青山の嫁にするがいい」

半之助はやり返した。

「おれは聞くのもたくさんだ」

虎の門そとの辻《つじ》で駕《かご》をひろい、汐止《しおどめ》の橋から木挽町へ出て、築地のほうへ向った。まさか山村座ではあるまい。こう思いながら、半之助はふと、ついこのあいだ見た、茶屋の出来ごとが眼にうかんだ。いましがた主馬が、――あの人を裸にして。と云った言葉が、頭に残っていたためかもしれない。

肌《はだ》のもの一枚も着けない、つややかな、柔らかそうな裸身、三人の若者に、平然と軀じゅうの汗を拭《ふ》かせていた姿。それはもう記憶が不たしかで、はっきりとかたちを成さない、胸や太腿《ふともも》などは、ひどくあらわに、なまめかしかったように思えるのだが、さてどんなふうであったか、と想像すると、まるでとらえどころがなく、ゆらめく白い霧のように、まとまりがつかなかった。

「これが新しく出来た橋だ」

前の駕から主馬が叫んだ。尾張侯の邸《やしき》の前を、堀《ほり》に沿って、東へゆき当ったところである。そこは山村座に近いので、ときどき歩きまわったことがある。たしかにゆき止りであったが、今はがっちりとした、新しい橋が架っていた。

駕は本願寺の門前を、まっすぐに、紀州家の下屋敷へつき当り、そこを左に曲って、築地の河岸へ出た。満潮とみえて、海にはふくれあがるような波があり、沖のほうから、舟が、帆をおろしながら、しきりにのぼって来るのが、見えた。潮の香がつよく匂《にお》った。

主馬の声で駕が停《とま》った。出ると、草履の下で乾いた貝殻《かいがら》の音がし、咽《む》せるほど海の匂いのする、新鮮な、さわやかな空気が、胸いっぱい、しみとおるように思えた。

「今日は静かだな」

こう呟《つぶや》きながら、主馬は先に立って横丁へ、曲っていった。

河岸に面して、軒の低い、古くて雨風に曝《さら》された、小さな家が並び、なかば毀《こわ》れた舟があげてあったり、干し網が垂れていたりした。もちろん漁師たちの家だろうが、どの家の前にも、一坪ばかり土盛りをした、囲いに、松葉牡丹《まつばぼたん》や、鳳仙花《ほうせんか》や、名の知れない草花が、活き活きと咲いていた。

横丁へはいろうとしたとき、半之助は、うしろで妙な叫び声を聞いた。

「——ほっ、ほう……」

誰かを呼ぶらしい、清らかでつやのある、よく徹《とお》る、若い女の声であった。

「——ほっ、ほう……」

かっこうというふうにも、聞えた。

ふり返ってみたが、河岸のひなたで、子供たちが遊んでいるほかには、それらしい女の姿など、見あたらなかった。ただ、その岸に小さな舟入り堀があり、いま入ったらしく、帆をおろしている小舟が見えた。たぶんその舟の中で、漁師の娘か女房かが、叫んだのだろう、なかま同志の呼び声かもしれない。半之助はそう思って、主馬のあとを追った。

そこはどうやら裏口のようであった。

細い横丁を十間ばかりゆくと、黒い板塀《いたべい》の上に、のしかかるほど、びっしり繁った樹立《こだち》があり、塀の一部に、小さな掛け行燈《あんどん》を出した、しゃれた木戸が切ってあった。

「ここだよ」

主馬はその木戸を、馴れた身ごなしで入った。半之助は、行燈に「丸茂」と書いてあるのを見た。

四

座敷へ通されるとすぐに、あたりを眺《なが》めまわしながら、半之助が云った。

「まだ建ててから幾らも経《た》たないな」

「せいぜい一年だろうね」

主馬はそう云って、どこかへ出ていった。

必要以上に樹《き》の多い庭も、凝った好みの建物も、まだごく新しい。家は二階造りで、木は、すべて檜《ひのき》だろう、拭きこんだつやも美しいし、まだかなりつよく木の香が匂う。雲母摺《きららず》りの本間の襖《ふすま》には、秋草をあしらった、虫取りの美人の図が描いてあり、四枚つづきの、線のたっぷりした、なよやかな筆つきであるが、みると、菱川師宣《ひしかわもろのぶ》という、町絵師の名が書いてあった。

床の間にも、遊女らしい美人の、湯あがりとみえる姿の軸があるが、こちらは皮肉なことに、狩野英信《かのうひでのぶ》と署名してあった。英信は木挽町に住む、いわゆる御殿絵師で、狩野派のなかでは秀抜と評が高い。たわむれに描いたのだろうが、そんな俗めいた絵のうえに、平気で署名し、遊印まで押しているのは、なにかしら反抗的な感じで、頬《ほほ》笑《え》ましかった。

半之助は、これらを見まわしているうちに、柱や長押《なげし》の、釘隠《くぎかく》しに、ふと注意をひかれた。鉄か青銅のような金具で、菱を三つ合わせたような、かたちをしていた。

——なんだったかしらん。

どこかで見たような気がし、考えたが、すぐ思いだせそうでいて、思いだせなかった。

——たしかに覚えがある。

ぼんやりと、そんなふうに考えていたとき、庭のほうで、ほっほう、という、さっきの叫び声がした。

「ほうほう、ほっ……」

筒をぬけて来るような、まったく耳馴れない叫び声である。

庭の樹立は、傾いてきた西日をあびて、暗いほど繁った枝葉をさしかわしている。前坪は掃除のゆき届いた土で、踏石が樹立のほうへと続いているきり、やはり人の姿はみえなかった。叫び声はそれなり途絶えた。

半之助は扇をつかいながら、夕づいてゆく空を見あげていた。すると、ふいに、気持のいい弦音《つるおと》とともに、ひゅッ、と矢羽根の空を切る音がし、庭の樹の梢《こずえ》あたりで、すさまじい鳥の悲鳴が起こった。

——あの声が射止められた。

半之助は一瞬そう感じた。

もちろんそうではなかった。矢に射抜かれた白鷺《しらさぎ》が一羽、ばたばたと落ちて来て、樹蔭《こかげ》の暗い地面の上で、むざんに綿毛をちらすのが見えた。そしてこの家の、右奥のほうから、浴衣《ゆかた》に無腰の侍が一人、なにやら笑いながら出て来て、

「それみろ、鷺だ」

こう云いながら、まだもがいている鳥を、庭下駄で蹴《け》った。

「来てみろ、こいつは臭くて、持ってはゆけないぞ」

誰かそれに答えたが、半之助にはわからなかった。

「しかし、さすがに菱屋庄兵衛だな、喉首《のどくび》のまん中だ」

また答える声がした。こちらの男（五尺そこそこの、だが筋肉の発達した軀《からだ》に、口の大きな、眉《まゆ》の太くて短い、眼のするどい顔つきであったが）は、ぶ遠慮に笑って、

「ばかを云え、次高《つぐたか》のみじん流は見世物じゃない」

こう云って、もういちど、鳥を蹴ってから、来たほうへとたち去った。

主馬が戻って来るまで、半之助は、胸のどこかが痛むような、ふしぎな感情にとらわれていた。

弓で射られたのは、樹上の鷺である。それはまだ地面の上に、射抜かれたまま横たわっているのが、ついそこに見える。

けれども、半之助には、それがあの呼び声のぬしのように、思えてならない。若い、清らかな、女の声であったが、それが矢に射抜かれたとたんに、白鷺に化した。そんなふうに、思えるのであった。

――誰だかしれないが、可哀そうなことをするものだ。

まもなく主馬が戻って来た。

「悪いいたずらをするやつだ」

彼も見ていたのだろう。

「ちょっとひと風呂あびないか」

こう云って、半之助を促し、いっしょに廊下へ出ながら、

「いまの弓は菱屋庄兵衛といって、柳沢の家来なんだ、弓では江戸一番だそうだがね、京の三十三間堂の通し矢をする、という触れだしで、いましきりに矢の寄進を募っている、本当に通し矢をするかどうか、そこは大いに疑わしいんだが」

「もう一人の男も、柳沢の人間か」

「そうだ、次高来太《らいた》といって、みじん流の剣術をつかうそうだ、この家の主人が柳沢にとりいってるので、あのれんちゅう、自分たちのいい宿坊のつもりでいるらしい」

「つまらない話だ」

変った造りの、風呂舎へはいりながら、半之助は興ざめ顔に云った。

「これが見せて呉れる証拠というやつか」

「まだまだ、時間はたっぷりあるさ、まず美味《うま》い物を食ってからのことだ」

風呂舎はやはり檜材の、三方板張りで、天床《てんじょう》に硝子《ガラス》製の（当時としては極めて贅沢《ぜいたく》な）吊《つ》り灯《あか》りがあり、入口の戸を閉めると、高さ一丈、周囲八尺ほどの箱のようになる。下が簀子《すのこ》で、その間から湯気がふきあがってくる、つまり蒸し風呂であるが、かれらのあとから、腰のものひとつで、豊かな胸乳《むなち》をあらわにした、若い女が二人、はいって来たのには、半之助は迷惑した。

「これはだめだ、出て貰《もら》おう」こう囁《ささや》くと、主馬は笑って、「ばかなことを云っちゃいけない、ただの垢掻《あかか》き女じゃないか、子供みたようなことを云うと笑われるぞ」

女たちはすべて無言で、二人の髷《まげ》を解き、汗が出てくると、その柔らかい手で、全身の皮膚を巧みに擦りながら、垢を揉《も》みおとした。垢掻き、とはよくいったもので、擦るにしたがっていくらでも垢がよれる、そのうえ、よほど力をいれるのだろう、彼女たちのあらい息づかいが聞えるし、湯気に熱した若い躰臭《たいしゅう》や、香油の匂いが、風呂舎いっぱいにこもるようで、半之助は少なからず閉口した。

「今日は静かだね」

主馬は平気で、自分の掛りの女に、そんなことを話しかけた。

「丸茂の爺さんは来ているのか」

「はい、いらしってます」

「神田橋のほかに、客は誰だ」

「わたくしの存じあげない方でございます」

「四五人いるらしいな」

女はそれには答えなかった。主馬はおしまいに、すばやく囁いた。

「あとであの部屋を頼むよ」

女はそっと頷いた。

五

風呂から出て、髪を結び、浴衣を着せられて、座敷へ戻るとまもなく、べつの女中が三人で、酒と肴《さかな》をはこんで来た。

「また酒か」

「まあやってごらんなさい、酒にはちがいないが、ちょっと手にはいらないやつだ」

主馬はこう云って、神酒徳利《おみきどっくり》のような形の、素焼の徳利から、とろりと重たげな、紫色をした液体を、半之助の盃《さかずき》に注《つ》いだ。盃も一般のとは変っていて、高坏《たかつき》に似て、足のついた、かなり大きなものである。

「葡萄酒じゃないか」

そっと香を嗅《か》いでみて、半之助が訊《き》いた。子供のじぶん、オランダ渡りだといって、進物に貰ったのを、父に少し飲まされたことがある、香も味も、それにほぼ似ているようであった。

「まあそういってもいいけれど、こいつはえびづる草といって、自然に生える山葡萄《やまぶどう》の実でかもしたんだ、仕込んでから十五年も経つそうで、延命長寿の薬酒だということだ」

「なが生きはごめんだね」

だが半之助は、舐《な》めるように、それを味わった。淡い渋さと、とろりとなれた甘さが、舌を魅するように美味かった。

「庭、庭、……」主馬がとつぜん囁いた、「そっと見ろ、そっと、気づかれないように」

盃を口に当てながら、半之助は眼の隅《すみ》でそちらを見た。

この家の召使だろう、町家ふうに袴《はかま》をはいた、二人の若者が、三人の中老の武家を、案内して通るところだった。先頭の一人はわからないが、次は水野肥前守、うしろは大久保長門守《ながとのかみ》。二人とも御側衆《おそばしゅう》であった。

「先の一人は誰だ」

「侍従だよ」

「――侍従とは」

「吉里さ」

半之助はふり向いて、奥のほうへ去るそのうしろ姿を、改めて見なおした。吉里といえば、従《じゅ》四位侍従の柳沢吉里、つまり美濃守《みののかみ》吉保の長男である。これまでにも、城中で二度ばかりみかけたが、背丈の小さな、白面の、どこかしら陰気な青年のように、覚えていたが、いまちょっと見たところでは、かなり肥えたようである。

「あとの二人は水野と大久保だろう」

「そうだ、先客も四人ばかりある、そのなかの一人は右京大夫さ」

「御側用人か」

風呂舎で彼が、神田橋、と云ったので、半之助はそう訊いた。松平右京大夫輝貞は、上《かみ》やしきが神田橋内にあり、御側用人を勤めていた。

「たいそうな顔触れじゃないか、こんなところでなにが始まるんだ」

「定例会談だよ」主馬はあっさり答えた、「七日めごとに一回、この家で集まって会談をするんだ、顔触れはそのときどきで、一定しないがね」

「――どうして、また、そんなことを」

「おれなどが、というのか」

こう云って、主馬はふと箸《はし》を取った。

「いまのうちに、ちょっとこいつを片づけよう、鮎《あゆ》の若竹蒸しというんだ、あとでまた珍味が来るからね」

山葡萄の古酒から始まって、出る料理がみな変っているのに、半之助はおどろいた。鮎の若竹蒸し、というのは、今年竹のひと節を割り、その中へ鮎をまるのまま入れ、あけび蔓《づる》で巻いたのを、外から藁火《わらび》で蒸し焼きにする、のだそうである。

それから、聞いたことのない、山菜の浸しものや、岩魚《いわな》の田楽などが出、次に焼いた肉の皿が出た。

「これはおれも初めてだぞ」

主馬がひらきなおって云うと、女の一人がなかば自慢、なかばきみが悪そうに、

「鹿の肉でございます」と云った。

「冗談じゃない、いまじぶん鹿の肉が食えるものか」

「いいえ、冬に獲《と》った若鹿の肉を、雪詰めにして置くのだそうでございます、召上ってみて下さいませ、みなさんたいへん珍重だと仰《おっ》しゃいますわ」

「仰しゃるかね」

主馬は軽口を云いながら、箸をつけた。

半之助も喰べてみた。焦《こ》げめのついた肉に、なにか果物を潰《つぶ》したような、甘酸っぱい、どろっとした汁が掛けてある。雪詰めにしたというが、塩も振ってあるのだろう、かなり塩がきいているが、肉の味は、比較するもののない、こうばしい匂いと、こまかな味をもっていた。女中の説明によれば、それは野猪《のじし》の脂《あぶら》を、鉄鍋《てつなべ》に溶かして、その熱で煎《い》り焼きにしたのだという。また掛け汁は、茱萸《ぐみ》とやまももの実を煮詰めて、絞ったものだ、ということであった。

「村田ならよろこぶだろう」半之助は喰べながら、「彼は長崎へいって来たし、あっちではこんなのをよく喰べてるんじゃないのか」

するとふいに、なにか喉《のど》につかえでもしたように、主馬が激しく咳《せ》きこんだ。

「やあ失敬、この掛け汁にむせちゃって」

彼は手拭《てぬぐい》で、口の端を拭《ふ》き、わきを見ながらそう云った。それでなおさら、むせたのでないことがわかった。……半之助はちょっと、しらけたような気分になったが、その肉の味と、珍しい料理法に興味をひかれ、ぜひ村田平四郎に喰べさせたいものだ、などと思った。

砂糖漬《づ》けの杏子《あんず》に、茶が出たあと、席を変えて酒にする、ということで、二人はその座敷を立った。

「もうたくさんだね、飲めそうもないよ」

「肴が変れば結構いけるさ」

「まだなにか食わせるのか」

「見せると云った証拠というやつさ、忘れたのかね」

こう云って、主馬は、なにか意味ありげな眼くばせをした。

庭とは反対がわにある、うす暗い中廊下を、鉤《かぎ》の手に曲ってゆき、二階へあがって、六帖《じょう》の座敷へはいった。主馬は案内して来た女中に、なにか囁き、女中は頷《うなず》いて、「はい、あいております」と答えて去った。

「おどろいたね。青山がこんな家を知っているだけでも意外なのに、よっぽど親しくしているらしいじゃないか、いつごろから来ているんだ」

「もう少しすると、もっと驚くよ、まあ坐《すわ》らないか」

ほどなく三人の女中が、酒と肴の膳《ぜん》をはこんで来た。

「飲まなくてもいいが、かたちだけは拵《こしら》えておいて貰おう」

主馬はこう云って、半之助に盃を持たせ、いかにも飲み食いしているように、膳の上をとりつくろった。

「いったい、なにを始めようというんだ」

「なに、万一のときの用心さ」

女中たちが酒や皿鉢《さらばち》をはこび終って、しばらくすると、主馬が立って、隣り座敷へゆき、なにかしているようすだったが、すぐに、襖の間から顔を出して、手招きをした。

「静かにして呉れ」

半之助は立っていった。

そこは長い四帖ほどの納戸部屋で、窓もなにもなく、一方の壁の下に、掃出しのような、長さ三尺、高さ二尺ほどの切穴がある。ちょうど坐ったままで、覗《のぞ》けるくらいの、高さであるが、主馬はそのそばに坐って、――ここを見ろ。という手まねをした。襖を閉めたこの部屋は、まっ暗であった。主馬の示すところを覗くと、その掃出しのような切穴の底が、斜めに一寸ほどあくようになっていて、そこから下の座敷が見えた。

そればかりでなく、どういう仕掛けになっているのか、下で話す声が、殆《ほと》んど耳のそばのように、よく聞えるのであった。

いつどこで聞いたか覚えていないが、そんなふうにして、いかがわしい覗き見を、させるところがある、ということだ。おそらくこれも、そんな目的で設けたものだろう。しかし主馬がいま、半之助に見せようとしたものは、そうした情景とは、およそかけはなれたものであった。

「上座に侍従がいるだろう、右京大夫、肥前守、なんと……」主馬が小さな驚きの声をあげた。

「見えるだろう、吉里の右にいるのは、土屋だ、老中の土屋相模守《さがみのかみ》だよ」

「だって、土屋は反柳沢の」

「おれにも意外だが……」

下から話し声が聞えて来たので、主馬は手まねで、黙ろう、という合図をした。

柳沢吉里を中心に、大久保長門守、土屋相模守、水野肥前守、松平右京大夫、など、いずれも幕府の重職にある者が四人、ほかに柳沢の家老だという丸茂新左衛門と、どういう関係の者か、中年の侍が三人いた。

——なるほど、これか。

半之助は、その証拠を見せよう、と云った主馬の言葉の、正しい意味を知った。かれらの会話は、そのままでは漠然《ばくぜん》としているが、どうやら、将軍の世継ぎを排そうという相談らしい。しきりに、甲府侯、という名が出た。甲府侯というのは、四代家綱の弟、甲府宰相綱重の子で、すでに綱吉の後嗣と定っていた。半之助などには、むろんわからないけれども、ひじょうに頭の明敏な公子だそうで、しぜん一面には反感をもつ向きもあるらしいが、ぜんたいとして、かなり期待をもたれていた。風評は気まぐれなもので、どこまでが真実であるかわからないが、甲府侯が、反柳沢の主動的なたちばにいる、ということは、半之助も耳にしたことがある。したがって、いまかれらの相談していることの意味も、かなりはっきり推察することができた。

六

「——いやだね」

半之助は顔をしかめた。そのような、陰謀めいた話は、興味もないし、聞くに耐えなかった。

「もうよそうじゃないか」

こう囁いたが、そのときその座敷へ、一人の女がはいって来たのを見て、ちょっと息をのんだ。頭の上から見おろすので、もちろん顔かたちは、よくわからなかったが、はいって来たときの額から頰《ほお》のあたり、そして、軀《からだ》の恰好《かっこう》や身ごなしが、反射的に、あの女を思いださせたのである。山村座の茶屋で、すはだかになって、汗を拭かせた、あの女に。

しかしすぐに半之助は首を振った。

——それは偶然すぎる。

来る途中でも、あの女のことを思いだしたし、この家の異様な空気が、そんな連想をさせたのであろう。こう考えて、彼はそっと、そこをはなれた。膳の前に坐ると、主馬も襖《ふすま》を閉めて、こちらへ来た。

「なんのために、あんなものを見せたんだ」

「反応があるだろう、と思ったんでね」

「それだけではわからない」

「一杯どうですか」主馬は銚子《ちょうし》を取った。

「いや、それより話を聞こう、あとで相談がある、とも云ったようだし、なにか理由があるんじゃないか」

「安倍はむかしから、政治は嫌《きら》いだ、と云っていたね」

「今でも嫌いだ」

「それがね、嫌いでは済まなくなるんだ」

半之助は（なかば無意識に）盃を取りながら、訝《いぶか》しげに、眼を向けた。

「まず云うが、村田は長崎へいったね、公用を兼ねて、本草関係の資料を集めるために、そして一年ばかりで、このあいだ帰って来た、そうだろう」

「続けていいよ」

「だが長崎へはゆかなかった」

云いかけて、主馬が妙な眼くばせをした。

半之助は気づかなかったが、誰か階段を登って来るらしい。がっしりした造りなので、木のきしみはしないが、耳を澄ますと、たしかに人のけはいが、感じられた。

「とにかく殺生禁断はいい」主馬が酔ったような声で、「こういう家があり、いつでも安心して肉が食えるのは、あの法度《はっと》のおかげだからね、……なにか云うんだ」

終りの言葉は、すばやい囁きであった。しかし半之助には、そういうはやわざは、できない。顔をしかめ、だめだ、というふうに手を振るので、主馬が慌《あわ》てて、「ああ、あれは臍曲《へそま》がりだからね、曲軒という仇名《あだな》があるくらいで、かれはなんにでも理屈をつける、なってないよ」

でたらめなことを云っていると、廊下に面した障子に、人の影がうつり、すっと障子があいた。

「――誰だ」

主馬が云った。

半之助も、盃を手にしたまま、ふり返った。廊下に男が立っていた。さっき庭で、射落された鷺を、蹴《け》った男である、いいみじん流の剣術の達者で、次高来太とかいう、あの小男であった。

本当に酔っているのか、どうか、次高という男は、ふらふらしながら、いやな眼つきでこっちを睨《にら》んだ。

――どうする。

半之助は主馬を見た。

主馬は、任せろ、という眼まぜをし、黙って相手を見かえした。次高という男は、

ゆっくりと手の甲で口を横に撫《な》で、太くて濃い、短い眉《まゆ》をぴくっとさせながら、

「覚えたぞ、その顔……」ぐいと主馬を指さした。

だが主馬はやはり無言のまま、やさしいような眼つきで、じっと相手を眺《なが》めていた。

半之助は次高の顔に、ふと凶暴な色がはしるのを見た。ほんの一瞬のことであるが、ごく卑《いや》しい、殺意に似たその表情は、忘れることのできないものであった。ついで彼は、自分の鼻を指さし、「おれの、この顔も、覚えておけ」

こう云って、せせら笑いをしながら、去っていった。その足音が、聞えなくなるのを待ちかねて、半之助は主馬にふり返った。

「どういうことなんだ」

「と云われても、ちょっと困るが、ともかく、失敬したようなことになって、悪かった」

「出ようじゃないか」

「まあ待って呉れ、話も残っているし、すぐに帰るというのはまずいんだ、なに、もう大丈夫だよ」

主馬は済まなそうに、だがおちつきはらって、次高のあけた障子を、立っていって、さらに大きく左右へあけた。

「どこまで話したか、ああ、村田は長崎などへゆかなかった、というところまでだな」

「そんな声をだしていいのか」

「もちろんさ」

主馬は軽侮の身ぶりをした。

「かれらは針の穴から覗くことは好きだが、あけひろげた窓を見る知恵はありゃしない、それに、いまのあれだって単純なおどかしで、なにも知ってるわけじゃないんだ」

そのとき、まるで彼の軽侮に答えるかのように、庭のほうから、矢が一筋、空を切って飛んで来、するどい音をたてて、天床《てんじょう》に突刺さった。二人ははっと片膝《かたひざ》を立て、突刺さったまま震えている、天床の矢を見あげた。

「――なるほどね」

半之助が云った。

「――かれらは、なにも知らないらしいな」

「知る筈《はず》がないんだ」

主馬はこう云ったが、こんどはあまり自信のない声だった。

「つまり、なにかを知ろうとして、さぐりを入れてるんだろうが、少しうるさいから、いちおう出ることにするか」

「二の矢の来ないうちにね」

主馬は下へおりていった。

着替えをして、裏口から出るとき、庭の向うで笑う声がした。弓を射た（菱屋庄兵衛という）やつか、次高来太か、いずれにしても、こっちを嘲笑《ちようしよう》していることはたしかだった。主馬はちょっとふり返って、なにか云おうとしたが、そのまま外へ出た。

「海端《うみはた》がいい、涼みながら話そう」

空はまだ明るかったが、あたりはすっかり黄昏《たそが》れて、夕凪《ゆうな》ぎどきの湿気が、地面をむっと掩《おお》っていた。二人は水の見えるほうへ歩きだした。

執着

一

青山主馬が半之助を「丸茂」へつれていったときは、裏口から出入りをした。

そのとき水野とか大久保などという、幕府の閣老たちも、柳沢吉里といっしょに(むろん微行ではあろうが)やはりそこから入って来た。多くのばあい、それがこの家の習慣であるらしい。付近の住民も、表門から人の出入りするのは、ごく稀《まれ》にしか、見ることがなかった。

表がわは、中通りを隔てて、武家の小屋敷のある、小田原町と向きあっていた。ざっとした板塀《いたべい》に、小さないおり門で、見つきは閑雅な構えであるが、塀の内は、裏と同じように、樹立《こだち》がみっしり繁《しげ》っていて、中のようすはまったく見えないし、いおり門には番小屋がある、というぐあいで、注意して見ると、なかなか用心堅固であった。

七夕を五日さきに控えた、暑い日の午後。丸茂の表門に、珍しく客があった。それは農家の隠居といったふうの、五十五六になる中老の男で、若い供を二人つれていた。ながい、そしていそぎの旅をして来たとみえ、埃《ほこり》と汗にまみれた、ひどく草臥《くたび》れた恰好であったが、門番に向って、こう案内を申しいれた。

「くにから権之丞《ごんのじょう》がまいったと、お取次ぎ下さい」

番小屋には小者が二人いたが、その片方が不審そうな、咎《とが》めるような眼つきで、じろじろと風態を眺めたのち、

「どなたに、どういう用件で、取次ぐのか」

「くにから権之丞がまいったと申せば、わかる筈でございます、早飛脚で手紙がさしあげてあるのですから」

こう云いかけて、権之丞という男は、ふと気がついたらしく、「ああこれは、御無礼を申上げました、お取次ぎを願いたいのは、比女《ひめ》さまでございます」

そのときは、門番のほうでも、申しつかっていたことに、気づいたようすで、恐縮そうに出て来て門をあけた。

「甘利《あまり》からおいでですな」低い声でそう囁《ささや》き、「私どもは丸茂家の者でございまして、失礼を致しました、どうぞお通り下さい」

そしてもう一人の小者が、案内に立った。

露路ふうの、敷石みちが、植込のあいだをゆるやかに曲って、数寄屋《すきや》造りの家の前へと、続いている。その家の玄関の左手に、網代《あじろ》の袖垣《そでがき》があり、そこに一人の若者が、柴折戸《しおりど》をあけて待っていた。

番小屋から、来訪者を知らせる、なにかの仕掛けがあるのだろう、寸の詰った浅黄色の、麻の肩衣《かたぎぬ》と袴《はかま》をつけたその若者は、権之丞に向って、膝の下まで手をさげ、「大夫さま」こう云って、二度、低頭した。

権之丞は黙って頷いただけであるが、その日にやけた、眉の濃い、小さな顔にあらわれた表情も、若者の挨拶《あいさつ》のしようも、殆んどいかめしいくらい、格式ばったものにみえた。

三人をひきついで、番小屋へ戻った小者は、同僚に向って、疑わしげに囁いた。

「百姓のじじいみたようだが、いやに威厳があるじゃないか、ここの女あるじの正躰《しょうたい》もわからないし、いったい甘利なんという処《ところ》は、どこらへんにあるのかな」

「見ず聞かず云わず」

同僚が肩をすくめて答えた。

「わかってるだろう、なにごとも見ず、聞かず、云わずだよ」

旅装を解いた権之丞は、すぐ風呂舎へ案内された。

彼は始終ふきげんな顔つきで、家のようすを点検するように眺め、頭を振ったり、眉をしかめたりした。すべてが、いかにも気にいらぬ、といったふうであった。

そこは半之助たちがはいったのとは、場所も造りも違っていた。むろん硝子《ガラス》の吊《つ》り灯《あか》りもない、平凡な据《す》え風呂で、いつかの女などでなく、この家の若者が背をながしに出た。

権之丞はみかけに似ず、筋肉のひき緊《しま》った、逞《たくま》しいみごとな躰格で、左の脇腹《わきばら》に大きな傷痕《きずあと》があった。

背をながしにかかった若者は、「これがあの猪《いのしし》の牙《きば》の痕でございますか」こう云って、つくづくと見いった。権之丞の顔は、一瞬なごやかにゆるんだ。

「和助などは知っておるまい」

「まだ乳を飲んでおりましたそうで、しかし話はずいぶん詳しく聞いております」

「でたらめばかりだ」

「さようでございましょうか」

和助という若者は少しばかり不服そうに、「鋳物師《いもじや》谷の隠居は、その場にいて拝見したと申しております、仔牛《こうし》ほどもある大猪で、危なく殿さまが牙にかかるところを」

「でたらめだ、危なかったのはこのおれだ」

権之丞は傷痕へ手をやった。

「殿さまが鉄炮《てつぽう》で仕止めて下さったが、さもなければ、そのときおれは、ずたずたに裂き殺されるところだった」

「さようでございましょうか」

和助の口ぶりは、明らかに、信じられぬ、という調子であった。だが、そういうとき、しいて反問することは、相手のきげんを損ずる、と承知しているらしい。ややしばらく背を洗ってから、

「――早く山へ帰りとうございます」と独り言のように云った。

権之丞はまた黙りこんだ。むっとした表情で、風呂舎から出ると、持参の古びた帷子《かたびら》に、そまつな葛布《くずふ》の袴をつけ、茶を啜《すす》る暇も惜しいというふうに、「比女さまに、すぐおめどおりが願いたい、と申上げて呉れ」

こうせきたてた。取次ぎは、休んで待つように、という返辞をもって戻った。

「唯今《ただいま》、御来客ちゅうでございますので」

権之丞は苛立《いらだ》たしげに、茶の代りを命じた。

若者たちが一人ずつ、交代で挨拶に来た。挨拶といっても、かれらは廊下に平伏して、大夫さま、とひと言いうだけだし、こちらは、吉兵衛か、とか、武次か、とか、ただ名を呼ぶだけである。それは一定の、格式をもった作法らしいが、しかも、その簡単な呼びかけには、一般の武家にみられるものとは違って、つくらない純朴さがこもっていた。

「もういちど伺って呉れ」

権之丞はまもなく催促した。こんども、待て、ということであった。そして三度めには、大事な用談をしているから、知らせるまで取次ぎはならぬ。といわれた。すると権之丞は、「客は武家か」ときいて、立ちあがった。

「よろしい、押しておめどおりをしよう、案内して呉れ」

そして、さっさと廊下へ出ていった。

二

そこは、母屋《おもや》から渡り廊下を架けた、別棟の建物で、床が高く、広縁には勾欄《こうらん》がまわしてあり、妻戸や蔀《しとみ》なども見えるし、廂《ひさし》には青銅の燈籠《とうろう》が吊ってあった。これは泉殿《いずみどの》ふうの造りで、当時は門ひとつにも階級上のやかましい規則があったから、正式にいうと、建築法に触れるわけである。

縁側へあがると、書院窓のある十帖ばかりの座敷に、障子をあけ放して、女あるじの登世が、一人の侍と対談していた。まわりには巻物や、紙や、筆硯《ひっけん》などがとりひろげてあり、侍（それは谷町の安倍冲左衛門であった）がなにか書き写しているようであった。

女あるじは、髪かたちも、衣裳《いしょう》も、たいそうじみづくりで、一見ふけてみえるが、年は二十一か二くらいだろう。しもぶくれの、ふっくりとして、ちょっと天平仏《てんぴょうぶつ》に似た、気品ゆたかな顔だちである。そして上唇《うわくちびる》のわきに、かなり眼だつ黒子《ほくろ》があって、ぜんたいの美貌《びぼう》をさらにひきたてているが、その美しさには、なにやら不徳義なものが感じられるようであった。

権之丞は縁側に坐って、「比女さま、権之丞おめどおりを願います」

かなり高い声で云った。

二人はその声で初めて気づいたらしい。冲左衛門はやや狼狽《ろうばい》し、写していた巻物をさっと隠したし、登世は怒りの眼でふり返った。

「ゆるすまで来てはならぬと」

「うけたまわりました、けれどもさきに早飛脚で申上げましたとおり、一刻もゆるがせならぬ用事ではあり、御名代としてまいったのでございます」

そしてじろっと冲左衛門を睨んだ。

「どうぞおめどおりをおゆるし願います」

言葉つきにも、その毅然《きぜん》とした態度にも、あとへはひかぬ、という意味が充分にあらわれていた。

冲左衛門は筆を置いて、「では今日はこれまでにして、また明日にでもまいるとしよう」

こう云って、帰り支度をした。

権之丞は冷やかに見ていた。登世も諦《あきら》めたのだろう、とりひろげた物を片づけ、冲左衛門を渡り廊下の口まで、送りだした。

女「おはいりなさい」

戻って来た登世は、こう云って、自分は上座に坐った。それから、権之丞の挨拶を聞きながして、「手紙は見たけれど、あれでは要領がわかりません、いったいお父さまは、どうしろと仰《おっ》しゃるのですか」

乙「殿さまは御病気でございます、それでなくとも、江戸の御滞在がながすぎます、一日も早く甘利へお帰りあそばすようにと」

彦「いいえ、いやです」

山「――いや、と仰《おお》せられても」

「いやです、帰りません」

「なぜでございます」権之丞はきっと眼をあげた、「三年まえに江戸へおいでなされてから、これだけの人数をお側《そば》にとめ置き、巨額な金品を浪費あそばされ、さきごろは、乙女さまをもたってお呼びよせになったまま、お返しなさらぬ」

「花世も江戸へ置きます」

「なんのために」権之丞はたたみかけた、「今日こちらへまいって拝見すれば、このような法外なお住居を建て、武家方などと往来しておいでなさる、いかなる御思案であるか、とんと合点《がてん》がまいりかねます」

「お父さまは御存じの筈です」登世は少しもめげずに答えた、「御存じだからこそ、呼び戻そうとなさるのです」

「それはどういうことでございますか」

「武田家御再興の旗挙げです」

「ああ、比女さま」

権之丞は呻《うめ》いた。それは怖《おそ》れのようでもあり、ひどく落胆したようにも、聞える声であった。

「それは狂気の沙汰《さた》でございます」

「なにが狂気ですか」

むしろ皮肉な調子で、嘲《あざけ》るように登世は権之丞を見た。

「恵《え》林寺《りんじ》（信玄）さま御他界から百三十余年、みどうの家はその悲願をはたすために、それだけのために在ったのでしょう、だからこそ一郡の人たちの尊崇もうけ、大名も及ばぬ生活ができたのではないか」

「いいえ、それは違います、みどうのお家は武田家御一族の名門であり、幾百年にわたって善政をお布《し》きなされました、巨摩《こま》一郡の尊崇はそのためでございます、御再興のことなど、もはや夢物語も同様、まことと信ずるような者は一人もございません」

「かんば沢のこともですか」

そのとき登世の顔に、きらきらするようなものが、はしった。

「かんば沢の伏岩のことも、信じてはいないのですか」

「それは比女さまが御承知の筈でございます」

「ただ奥津城《おくつき》（墓）があるからだというのでしょう、恵林寺さまの、まことの御遺骸《いがい》をおさめた奥津城が……そのために、ところの者が命を賭《か》けて守るのだと」

「どうしてお笑いなさる」

「この家をごらん」

手でぐるっとさし示しながら、登世はさも興ありげに微笑した。

「江戸へ来てから三年、登世が巨額な金品を浪費した、とお云いだった、お父さまや権之丞には巨額かもしれないけれど、あのくらいの金では、この家を建てるのがせいぜいでしょう、じっさいには、その十倍も遣っているし、これからも遣うつもりです」

「——比女さま」

「どこからその金が出るか、想像がつきますか、権之丞」

権之丞は眼をみはった。

「夢物語ではありません、伏岩はあるのです、伏岩が、夢物語でないことを、証明して呉れたのです、だから登世は江戸へ出て来たんです」

「では比女さまは、あれだけ厳しく禁じられている伏岩を、ごらんになったのですか」

「登世が初めてではありません、お祖母《ばあ》さまもおあけになっています」

「——よもや」

「慶安の騒動（由井正雪の事件）には、お祖母さまのお手から、軍資が出ていたんです、伏岩の中に、その事実が、お祖母さまのお手で書いて、残っているのです」

「私には信じられません」

ややあっけにとられたふうで、権之丞はそっと首を振った。

「もしそのような事実があったとしたら、今日まで誰も知らぬということは、ない筈ではございませんか」

「権之丞が知らぬからといって、知っている者がなかったとはいえないでしょう」

「では誰かそれを知っている者が」

「誰かではなく、誰でも、というべきでしょう、甘利一郷の住民は、みどうの者の申しつけには、決して違背したことがない、口外するなと云えば、殺されても口外はしません」

「しかし事とばあいによります」

「そのとおりです、事とばあい、とりわけ御再興にかかわりのあるばあいにはです」

「――――」

「現に、この登世のことがそうでしょう、登世のしていることが、今日まで、お父さまにさえわからなかったではありませんか」

彼女の眼はしだいに輝きを増し、その表情には、一種の偏執的な色さえ、あらわれだした。

「慶安の騒動は失敗に終りました、失敗した理由はいろいろあるでしょうが、いちばん大事な点は、事を企てた人間が、孤立した浪人者であり、拠《よ》って起《た》つ地盤も勢力もなかった、ということでしょう、また、お祖母さまの書き残したものによると、御援助のなさりかたも中途半端なもので、御自分でも事が成功しようとは、お考えになっていなかったように思えます、登世のはそんなものではありません」

こう云って登世は、いちど片づけた巻物の一つを持って戻り、「これを見てごらん」とそこへさしだした。権之丞はひろげてみるなり、ああと云った。

「これは、お家の御系図ではございませんか」

「始祖のところをあけてごらん」

権之丞は巻物の巻首を繰りひろげた。すると登世は、べつに巻いてある、新しい紙のほうをひろげ、「これは柳沢家の系図です、つきあわせてごらんなさい、五代の信光は武田五郎といって、大膳大夫信義《だいぜんのだいぶのぶよし》からわかれたことになっているでしょう、信義はみどうの初代、あきらかに武田氏の直流ということになります」

「しかしこれは、このような御一族系譜は、これまでついぞ聞いたことがございません」

「その筈です」

登世は声をあげて、短く笑った。権之丞はその意味を察したのだろう、はげしく、咎《とが》めるように登世を見た。

「まさか、比女さまがさようなことを」

「いいではないか、何百年の昔のことを、少しばかり書き替えたところで、誰に迷惑を及ぼすわけではなし、系図の偽作は、このごろの流行といってもいいくらいです」

「それでは柳沢侯を……」

「わかったでしょう、登世が江戸へ出て来たのは、あの方が甲府城主になったからです、百石そこそこの小身から、表高《おもてだか》十五万余、松平の御家号と諱字《いみなじ》まで頂き、一族みな権勢の座を占めるという、なみはずれた御出世をなされた、……時を得て燃えさかる勢いは、じっさいにもっている力より外へはみ出たがるものです、そして、それは火口さえあればいいのです」

三

権之丞はたじろいだ。

登世の云うことは、さして驚くには当らないかもしれない。その思いつきも、かなり常識的で、決して奇矯《ききよう》なところなどはない。しかし、彼女の顔つきや、声の調子には、そのすじみちのとおった言葉とは逆に、やや狂気にちかい、異常な緊張が感じられた。

なにかがのりうつった。

冷たい手で、うしろ首を撫《な》でられでもしたように、権之丞はちょっと息をのんだが、すぐに、はね返すような口ぶりで、「それにしても、柳沢侯は栄達の頂点に、おられる方ではございませんか、それを賭けてまで、危険な企てに乗るということがございましょうか」

「栄達の頂点にいるからです、あの方の栄達は例のないほどのもので、しかもすべて五代さま(綱吉)おひとりの御偏愛によるものです、したがって敵が多く、それが反柳沢という一つの勢いになって、相当つよい力でひろがっています、五代さまはすでに御老齢でもあり、お世継ぎは御養子で、それも壮年の甲府宰相さまですから、将軍家にもしものことがあれば、柳沢一族の運命は、おそらくひとたまりもないでしょう」

そのときに備えて、柳沢系の人々がいかにやっきとなっているか、いかに策謀しているかということを、登世はおどろくほど詳しく知っていた。

どうしてそこまで知ることができたのか。三年まえに、山村座の桟敷《さじき》で、彼女は、柳沢吉里と知りあった。

堺町や木挽町の劇場が、富裕な町人や武家たちの、一種の社交場のようになったこと。大藩や幕府の女官たちまでが、そこで豪奢《ごうしゃ》な宴遊をすることなどは、まえに記した。紀州徳川家の未亡人が、生島新五郎の弟のなにがしと醜聞をながしたことや、大奥の老女、絵島の事件などは、その間の事情を伝える代表的なものである。そのために、桟敷以外の座敷で酒食をしてはならぬ、とか。俳優が客の酒席へ出てはならぬ、とか。そのほか多くの禁令が、劇場関係者に対して、しばしば発せられたほどであった。

登世が柳沢吉里と、知りあえたのも、そういう解放的な場所のためであるが、それから、柳沢の老臣、丸茂新左衛門の名で、この家を建て、柳沢系の人たちを次つぎに招いて、珍しい酒食の饗応《きようおう》や、惜しげもない金品の贈与で、しだいに、かれらとの親近さを深めた。かれらは、このようにして、登世と密接に往来し、しばしば、密事の会合を、この家で催すようになった。……登世は接待のさしずをするだけで、殆《ほと》んどかれらの席へは出ない、吉保とはまだ会ったこともない。けれども、かれらの会合のようすや、密談の内容は、いつものがさず聞いていた。

かれらの策謀の一は、将軍継嗣《けいし》の排斥であった。甲府侯綱豊という人は、その祖父に当る三代家光の気性をうけているといわれ、頭もすぐれているし、果断と勇気に富むそうである。しかも、将軍世子になったのは宝永元年だが、そのときすでに、四十二歳であった。

綱吉は館林家の出であって、甲府家とは、血続きであるには、相違ないけれども、親子としての情はもちろん無かった。

単に親子の情がなかったばかりではない。

殺生禁断という、未曾有《みぞう》の悪法令を出したほか、日常の起居進退が、極端なくらい臆病《おくびょう》で、迷信狂癖の多い綱吉に比べると、綱豊の性格は殆んど対蹠《たいせき》的である。したがって、彼が六代を継いだばあい、どのような施政改廃がおこなわれるか、およそ推察することができるであろう。

平安朝の藤原氏にも似ていようか、家格のことはべつとして、吉保は小身者から出世しながら、表高の倍も実収のある領地を与えられた（甲斐領その他で、実高三十三万石余といわれる）。老中筆頭でありながら、大老の呼び名さえ受け、徳川の家門に列せられた。また閨閥《けいばつ》をひろげて、その一族はみな、枢要《すうよう》の地位を占めている。……これだけ繁栄している柳沢氏が、指をくわえて、綱豊を迎える筈《はず》がない。かれらは百方奔走した。そして、その反面では、一族の潰滅《かいめつ》に備えて、或《あ》る種の謀計が、めぐらされていたというのである。

宝永二年には銀相場に規格を与え、値上りを禁じたうえで、ひろく、蔵匿《ぞうとく》された古金銀の運用を命じ、これらを以《もっ》て、宝永銀という新銀貨を鋳造した。ついで諸侯の領内における、藩札の流通を禁じ、その貯蔵する古金銀を、新鋳のものと交換するように、布令を出した。また貨幣の鋳造は、金座、銀座、銭座《ぜにざ》といって、その「座」の担当者に限られているのに、甲府城で小判小粒（金貨）の鋳造が許されたが、これらは、新鋳貨によって浮いた金銀を、すべて柳沢一族が横領したものである。という流説がしきりだった。

「登世はこの眼と耳とで、こういう事実を知ったのです」

啞然《あぜん》としている権之丞に向って、登世はさらにこう続けた。

「今年になってからは、甲府城の武具更新の名目で、多くの銅鉄や、必要な資材、工匠がたくさん江戸から送られています、そして甲府では、殺生禁断の法に乗じて、領内の住民から弓矢、猟銃を押収し、馬を集め、穀物の貯蔵をいそいでいる、とのことです」

「――たしかに」権之丞は唾《つば》をのんだ、「御領内から、弓矢、猟銃を、お取上げになっていることは、事実でございます、また、たてがみを切るな、という御法令に反したかどで、そんなことのない馬までが、お城へもってゆかれる例も、少なくはないと聞きます、しかし、それがそのような企《たくら》みのためだ、などとは、私にはとうてい信じられません」

「算法家は六七十年もさきの、日蝕《につしょく》を数えだすことができるそうです、けれどもそういう算術を知らぬ者は、その日その刻《とき》が来るまでは、決して信じはしないでしょう」

「それで比女さまは、そのような無謀な企てにお加わりなさる、おつもりでございますか」

「加わるのではない、登世が采配《さいはい》を振るのです、御再興の兵を挙げるとき、主将はみ、どう家に定《きま》っています」

「そして、もはや、それはぬきさしならぬところまで、……」

「あと五日、七夕会《え》のときに」

登世はものに憑《つ》かれたような眼で、じっと空間を見あげた。

「七夕会のときに、どうあそばすのですか」

「この系図を持って、柳沢家の下《しも》屋敷へゆきます、そして、甲斐の古伝の猿楽《さるがく》をごらんにいれ、それをしおに吉保さまとじかにお会いして」

「比女さま……」

権之丞は思わず、高い声をあげた。それは、眠っている者を、呼びさますような調子だったが、美しい登世の顔が、美しいために凄《すご》くみえるほど、異様に緊張し、硬くひきつるのを見て、こんどは哀訴するように云った。

「それでは、乙女さまをお呼びになったのは、その舞をおさせ申すためでございますな」

「登世がしてを舞います」

ああ、と権之丞は、声をふるわせた。

「柳沢侯は数寄《すき》のお方で、お眼にとまる者は必ずお部屋にお入れなされ、やがて将軍家の伽《とぎ》におすすめなさる、ということではございませんか」

「そうなればなお、強い大きなてづるが摑《つか》めるでしょう」

「貴女《あなた》は狂っておいでなさる、われらにとって、徳川はもと敵ではございませんか、仮に御再興の兵を挙げるとしても、めざす敵はやはり徳川でございましょう、いかに苦肉の策とは申しながら、当の敵に御自分から妹姫をおすすめなさる、さようなことで名分が立ちましょうか、七百年連綿たる、みどう家の誇りをどうなさるおつもりですか」

「恵林寺さまの御遺志は、御再興の事ただ一つです」

登世は叫ぶように云った。

「これまで便々《べんべん》と時を消し、あたら有る機会をのがして来たのは、みな名分や誇りなどにとらわれていたからです、まず兵を挙げ、御再興の目的を遂げれば、名分や誇りなどはりっぱに立つでしょう、しかも、こんどはその最後の機会です」

権之丞はまもなく座を立った。

彼は登世の性質を知っている。そしてどうやら、事はあまりに深く、しかも現実的に進みすぎているようだ。

――みどうのお家が危うい。

幕府政体はすでに磐石《ばんじゃく》である。甲府城にどれほどの軍資を貯《たくわ》え、どれほどの兵を集めたとしても、またよし三五の諸侯が助勢したとしても、徳川氏の倒壊などはまったく望み難い。夢というにも足りない暴挙である。

――死を賭《と》して諫《いさ》めようか。

おそらく彼女は思いとどまるまい。父のみどう清左衛門が来て説いても、比女の決心をうごかすことはできぬだろう。……日にやけた、小さな顔に、刻みつけたような、深い皺《しわ》があらわれ、僅《わず》かな時間でその眼も頬《ほお》もぐっと落ちくぼんだようにみえた。

「和助、乙女さまは」

与えられた部屋へ戻ると、権之丞は、さっき背をながしに出た若者を呼んだ。

「ひるから海へ、お遊びに出ておいでなされます」

「こちらでのごようすはどんなふうだ」

「山へ帰りたいと、口ぐせのように仰《おっ》しゃってでございます」

権之丞は若者を見た。

「おまえも、山へ帰りたいと、申したな」

「――はい」

「和助、こちらへ寄れ」

こう云って、権之丞は坐りなおした。

花世さま

一

屋根をかけた、一艘《そう》の小舟が、佃島《つくだじま》の南の海面を、しきりに、右へ左へと、こぎまわっていた。

日の高い頭上の空は、染めぬいたように濃い青であるが、平らに凪《な》いだ海から、たちのぼる熱気のために、遠い眺《なが》めは暑くるしく霞《かす》んでいた。

小舟の舳先《へさき》には、麻の肩衣《かたぎぬ》をつけた若者が立って、水面を覗《のぞ》きながら、絶えず片手を振っている。短い半纏《はんてん》に、逞《たくま》しい下半身をあらわにした船頭は、巧みに櫓《ろ》を操りながら、その示すとおりに、すばやく舟をこぎまわすのであった。

「どうもおどろきますね」船頭は荒い息をつきながら、「お軀《からだ》はもう、すっかりおとなになっていらっしゃるのに、気持はおくてなんですかね、このまっ昼間の、見とおしで、平気ですっ裸におなんなさるなんて、あっしゃあ胆《きも》をつぶしましたぜ」

「お育ちが違うから……」

若者は、云いまぎらすように、にが笑いをした。

「お大名の奥なんぞでは」と船頭は続けた。「奥方や姫さま方も、風呂へはいれば軀じゅう人に洗わせるし、かわやなんぞでも、御自分じゃ始末をなさらねえってえますがね、つまり恥ずかしいってえことを、御存じがねえってえんだが、お嬢さんもそんなふうでいらっしゃるんですかね」

「まあそんなところだろうな」

右だ、と若者は手を振った。

そのとき舳先の右がわで、はげしく水がはね、とびあがるように、一人の少女が水面へ顔をだした。それは登世という娘とよく似ていた。登世よりも表情が明るく、眼つきがいたずらっぽく、唇《くちびる》のわきの黒子《ほくろ》が、反対がわにあるだけで、殆んど登世の顔を鏡にうつしたほども、よく似ていた。きめのこまかな、あくまで白い肌《はだ》が、水に透けて、なまめかしく揺れる。水面に出た小さなまるい肩から、しなやかにのびた頸《くび》すじが、水滴をはじいて、耀《かがや》くばかりに美しい。

「乙女さま、もうお上りなさいまし」

若者がそう呼びかけると、少女は両手で水を叩《たた》き、ひゅう、と長く口笛のように息を吐いて、顔にかかる髪毛をかきあげながら、

「だめよ、まだ一尾も摑まないんだもの、くやしい」

怒ったように云った。

「おくにの川とは違います、海は広うございますから、とても魚を摑むなどということはできは致しません」

「舟がついて来るからいけないのよ、舟を停《と》めてお置き、どうしたって一尾は摑まなくちゃ、どうしたってよ」

「乙女さま」

「舟を停めて」

少女は身をひるがえした。若者は身をのりだして、「花世さま」と、叱《しか》るように叫んだが、ふと慌《あわ》てて眼をそらした。

眩《まぶ》しいほどに白く、なめらかに豊満な、美しい双のまるみが、泡立《あわだ》つ水の中へ沈んでゆくのが見えた。

「静かにやって呉れ」若者は片手をあげた。

船頭は、若者の手の動くほうへ、こんどはゆっくりと櫓をつかいながら、「おそろしく息がお続きなさいますね」と感じいったふうに云った、「二百息、いや三百息はたっぷりだろうが、本当に魚をお摑みなさるんですか」

「まるで鵜《う》のようだ」

「どうもその、どういうことなんだか」

片手で汗を拭《ふ》いて、さもげせないとでもいったように、船頭は首を振った。

「こないだはお屋敷の、屋根へおあがんなすって、ましらの如《ごと》くってんですかね、お庭の榎《えのき》の枝から、ひらひらっと飛び移って、ひらひらっとあの高い二階の屋根へあがったと思うと、例のあの、ほっほう、てえ梟《ふくろう》みてえな声をおだしんなって、それからまたひらひらっと屋根を走って、榎の枝へ飛び移って、見えなくなってしまったんだが、どうもその早いのと身の軽いのにゃあ仰天しましたぜ」

若者は手を左へ振った。

「上のお嬢さんはばかにしんとして、あっしらなんぞにゃあ、怖いくらいなんだが、こちらはよっぽどおてんばでいらっしゃるんですね、おくにでもこんなですか」

「こっちだ、もう少し左」

「ぜんたい、甘利ってえなあ、どのへんですかね、よっぽど遠いんですか」

「甘利だって」若者はふり返った、「そんなことを誰に聞いた」

「誰って、誰に聞いたってこともねえが、そんなふうに云ってるんじゃねえんですか」

「それは聞き違いだ」若者はまた水のほうへ向きなおった、「本当は駿河《するが》の奥に、富士谷というところがある、柳沢さまの、元の御領分だが、そこに雨降り山というのがあって、それが……」

こんな問答をしているうちに、いつか佃島から東へまわっていた。そして、気がつくと、すぐ向うに、小舟が二艘停って、どちらにも笠《かさ》を冠《かぶ》った男が三四人、竿《さお》を出して、なにか釣《つ》っていた。

「これはいけない」若者は舌打ちをした。

かれらにもし若い女主人のはだか姿をみつかったら、とんだ恥をかかなくてはならない。若者はこう思って、注意を与えるために、水の中を覗きこんだ。だがそれはすでにおそかった。若者が覗きこんだとき、少女は舟を潜《くぐ》りぬけて、反対がわに浮きあがり、ひゅうっ、と息を吹きながら舟ばたへ手をかけた。

「くやしい、また逃がした」

「ああ、乙女さま、向うに」

若者が手を振り、出るなという身ぶりをした。船頭もすぐ舟の向きを変えたが、少女はまるで気がつかなかった。

「舟をお停めと云ったのに」

こう云いながら、極めて巧みに、舟の上へあがった。

「水の中では舟の影がはっきり見えるから、動いて来ればすぐ逃げてしまうじゃないの」

「乙女さま、これを」

若者は浴衣《ゆかた》を取って、すぐに少女の軀を包もうとした。しかし、向うの舟の男たちは、すっかり見てしまったらしい。わっという声をあげ、舟ばたを叩き、つまらない悪口を叫んだ。

少女はきっとふり返った。

「あれは乙女のことを笑っているのか」

彼女はこう云って、若者のさしだす浴衣を押しのけた。束ねて背へ垂れた髪が、もつれて、胸の一部を掩《おお》っていた。そのほかは隠れるところもなくあらわである。胸も腰もまだ固そうだが、すこやかに発達した、柔軟なまるみが、そのためにかえって、神々《こうごう》しくさえみえた。

片手で髪に含んだ水を絞り、片手で（まったく無意識らしい）軽く乳房を押えながら、彼女は釣舟のほうを、怒りの眼で見た。若者はなお、浴衣で彼女を包もうとしながら、「おくにとは違いますから、どうぞ早くおめし下さい、そんな恰好《かっこう》をしていらっしゃると、このあたりでは誰でも笑います」

「乙女は笑われてはいないわ」

「舟をやって呉れ」

「いけない、停めてお置き」彼女の眼はきらきら光った、「あの男たちはなんと云ってるの、なんと云って乙女を笑ってるの、大助」

若者は当惑した。

釣舟の男たちはなお、卑《いや》しいことを喚《わめ》いている。そんなときの悪口は、たいてい定《きま》ったものであるが、かれらのはもっと直截《ちょくせつ》で、はるかに露骨であった。

「云えないの、大助」彼女は叫んだ、「云えないようなことなのね」

「乙女さま、どうか」

よし、と彼女は云った。そして、大助という若者が手を出すより早く、さっと水の中へ、きれいな型でとびこんだ。

「花世さま」

若者はまた叱るように叫んだが、花世の姿はもう深い水の下にあった。船頭はうろたえて、ぐいと舳先をまわした。

「冗談じゃねえ、どうなさろうてんです」

「ずっとやって呉れ、いやちょっと待て」

大助は手で船頭を抑えた。若い女主人が、なにをしようとするか、彼にはふと想像がついたらしい、それで、こんどは慌てて手を振り、「舟を向けなおせ」と云った。舟を向けなおして待とう、というのである。そして、それはじっさい機宜を得ていた。

向うの小舟では、まだなにか云いながら、しかし半分はきみわるそうに、みんなで海面を覗いていた。すると、花世はすでに向うがわへいっていて、そうして、向うがわから舟ばたを引っぱったらしい、その舟が、とつぜんぐらっと向うへ傾いた。

わっと声をあげて、男たちは一方へ寄った。向うへ転覆すると思って、本能的に反対がわへ重心をかけたのである。ところが、花世はそれを予期していたのだろう、かれらが一方へ寄ったとたんに、いちど引っぱった舟ばたを、逆に突きあげた。

重心の移るところへ反動をつけられたから、舟が転覆するまえに、乗っていた男たちがころげ落ちた。船頭は舟といっしょにひっくり返った。

「やった、うめえ」

こちらの船頭は、足踏みをして叫んだ。

「その意気だお嬢さん、そっちのもついでにやっちめえ」

向うの、もう一艘の男たちは、総立ちになった。

そのとき大助は、ふとふり返った。うしろで、人の呼ぶ声が聞えたからだ。見ると、佃島の下をまわって、小舟に助け櫓をかけたのが、舳先で水を切るように、すばやくこっちへやって来る。

「——和助だ」

彼は手をあげてみせ、だがすぐに、花世のほうへ眼を戻した。

残った釣舟の男たちは、持った竿で、むやみに海面を叩いていた。みんな立って、うろうろとそちらこちらを叩きまわす。船頭も棹《さお》を斜に構えて、出て来たら殴りつけよう、といった態であった。

云うまでもないかもしれないが、これらは極めて短い時間のことで、初めに海へ落ちこんだ男たちは、ようやく、底を出した舟にとりついたばかりだった。そうして、まだその一人が、なかまのさし出す手に捉《つか》まろうとして、ばしゃばしゃと、だらしなくもがいているとき、第二の舟がみごとにひっくり返った。

立ったまま竿を振りまわしているのだから、その舟は初めからぐらついていた。そこを右へいちど、ぐいと引っぱられ、わっといって片寄るとたんに、前者の例と同様、逆のほうから突きあげられた。

三人の男は頭からのめり、その上へ舟がかぶさった。

ふしぎなことには、ともにいた船頭は、棹を持ったまま、舟の転覆する方向とは反対のがわへ唯《ただ》一人、横さまに落ちこんだ。なにか目算があったのかもしれないが、ともかく、お素人衆《しろうと》とは違います、といったふうな、さすがに馴《な》れたものだ、と思わせるような、個性のある落ちかたであった。

「うめえうめえ、あっぱれだ」

こちらの船頭は首をふり立てながら、げらげら笑い、喚きたてた。

「人を見て悪態をつかねえからそういうめにあうんだ、ざまあみやがれ」

「乙女さま、早く」大助はのりだして叫んだ。

花世はあざやかな抜き手で、魚のように早く泳いで来る。そのとき、和助という若者の乗った舟も、そこへ漕《こ》ぎ寄せて来た。

「なにをしているんだ、乙女さまはどうなすった」

「いまおいでなさる」

大助は苦笑しながら、向うの、ひっくり返った舟と、水をはねちらしている人たちを指さした。

「困ったおいたずらだ」和助は自分の舟をまわらせながら、「今日は七夕で、あのお屋敷へゆく日じゃないか、比女さまはたいそう怒っていらっしゃる、おまえも知っていた筈《はず》だろうが」

「そんなことぐらいで、乙女さまがすなおにお帰りなさると思うなら、お守り役はこれから和助に譲るよ」

「なにを云うんだ、つまらない」

和助は相手にならず、ちょうど泳ぎ着いた花世に向って、こちらへお乗りなさい、と呼びかけた。

「こちらは櫓が二挺《ちょう》ですから早うございます、比女さまがお待ちかねでございますから、大助、お召物を」

「ああ面白かった」
花世は疲れたようすもなく、舟へあがるとうきうき叫んだ。
「おまえ見た、和助、乙女がいま舟をね、あの舟よ、あれをね」
和助は彼女を浴衣で包んだ。

二

和助の云うほど、登世は、怒りはしなかった。本当は怒っているのだが、顔色にも出せないし小言も云えない、というのかもしれなかった。

なぜなら、今日は柳沢家の、駒込《こまごめ》の下屋敷へいって、姉妹で猿楽を舞うのであるが、花世はなかなか承知しなかった。

——わたくしたちの猿楽は、年にいちど、四月十一日の夜、神前で舞うほかには、決して舞ってはならない筈です。

かたくなに首を振った。

それは事実そのとおりである。その日は恵林寺機山公（信玄）の忌日《きにち》に当り、亡《な》き霊をなぐさめるために、いろいろと深夜の行事がある。みどう家はその祭主であって、古伝の猿楽を奉納するのが、代々のつとめになっていた。

登世はもともと、おっとりとした、気のやさしい姉であった。はねまわることの好きな花世は小さいときから、すっかり甘くみていた。

――おすましやのお洒落《しゃれ》の泣き虫さん。

などと、よくからかったものであった。

みどうでは台所と縫い張のために、五十歳以上の下婢《かひ》を何人か置くほか、召使はすべて、若い男に限られていた。かれらはみな、何百年昔からの家来筋であり、天正十年に武田氏が亡《ほろ》びたとき、表面はまったく絶縁したかたちで、帰農したが、じっさいには、今なおみどうの家来であることを誇り、家僕として仕えることを名誉にしていた。

登世はかれらに対しても、控えめで、なるべく世話をかけないように、と努めるふうであったし、花世はわがままいっぱいで、殆《ほと》んど暴君のように、絶えずかれらを、奔命に疲れさせせて来た。

――乙女さまのお守り役に当ると、命が三年ちぢまる。

かれらはこう云って、いつも花世から逃げるくふうをした。

だが、本当にかれらが怖れていたのは、花世ではなく、姉のほうであった。登世がいちどなにか云いだすと、人が違ったように強情になる、それは石にでもなったような感じで、誰の手にも負えなかった。

母はやく亡くなった。姉が十一、花世が七つのときであったが、その母が、死ぬまで気に病んでいたのは、登世のそういう性質であった。

——ひとつまちがうと、自分が不幸になるばかりでなく、他人をも不幸にする。

しばしばそんなふうに心配していた。

こういう関係から、駒込へゆくかゆかないか、ということでは、花世は、相当たたかわなければなるまい、と覚悟していた。それほども、姉のようすは強硬にみえたのである。しかし、そこへ家扶《かふ》の権之丞が来た。詳しいことはわからないが、父が病気になったし、江戸の滞在が延びすぎたから、ひきあげて甘利へ帰るように、といいに来たものらしい。もちろん姉は承知しなかった。承知しないばかりでなく、逆に自分の計画を話した。そのことは、花世には少しも関心はなかったが、権之丞はひどく狼《ろう》狽《ばい》し、いろいろ策を按じたとみえて、

——駒込へおいでなされ。と花世に囁《ささや》いた。柳沢邸へいらっしゃってから、うまくぬけだすように手配を致します。

権之丞の囁きを聞くと、花世はおどりあがって喜んだ。

——甘利へ帰れる。

それは待ちかねていたことだ。

彼女が江戸へ来たのは四十日ほどまえである。妹にも江戸の風俗をみせたいから、という登世の希望で、なかばむりじいに呼びよせられた。

来てみると、どこを見物させるわけでもなく、毎日のように髪や肌のていれをさせられたり、化粧のしかた、立ち居の作法、言葉の訛《なま》りをなおすこと、など、およそ心外なことばかりやらされた。

甘利にいれば、川にもぐり、山を駆け、鳥や野獣を追い追われて、自由に、無拘束に、暴れまわることができる。

それが江戸では、屋敷まわりのほか、どこへも出ることができない、庭の樹《き》へ登ったり、屋根へあがったりすれば、すぐ怒られる。大川や海へも、潮風は肌を荒すから、といって、なかなか出して呉れなかった。もちろん適当に、姉の眼をぬすんで、とびだしはするが、甘利のことを思うと、なさけなくて、うんざりする程度でしかなかった。

――早く山へ帰りたい。

夢に見るほど、帰郷のおもいに駆られていたのであるが、権之丞のようすで察すると、姉のゆるしを得たのではなく、どうやらひそかに脱走する計画らしい。それが彼女をおどりあがらせた。なまぬるい、刺戟《しげき》のない四十余日のあとだから、彼女にとっては、そのくらいのことでも、胸がわくわくし、手足がむず痒《かゆ》いような気持になった。

――大丈夫なのね。

――大丈夫でございます。

権之丞に固く念を押したうえ、ようやく駒込へゆくことを、承知したのであった。姉はもちろん知らない。そんな企《たくら》みがあろうなどとは、夢にも考えはしないだろう。妹がうんと云って呉れただけで、すっかり安心しているようだ。したがって、その日になって海へとびだし、遊び呆《ほう》けていたことも、さして叱りはしなかった。

「こんな日に泳いだりする人がありますか、ごらんなさい、すっかり日にやけてしまったし、潮水でこんなに肌が荒れてしまったではないの」

「もともとこうなんですわ」花世はすまして云った、「わたくし山猿《やまざる》の申し子なんでございますもの、お姉さまのようにお美しくはございませんの」

そして、えへん、と咳《せき》ばらいをした。

化粧や着付けは、向うへいってからする、ということで、髪だけ結いあげたが、潮水につかったのだから、梳《す》くだけでも相当な手間であった。

猿楽に必要な、道具や衣裳《いしよう》は、さきに送り出したらしい。支度が済んで、姉といっしょに表玄関へゆくと、柳沢の四つ花菱《はなびし》と裏梅の紋をちらした、非公式の女乗物が据《す》えてあり、やはり柳沢家の者だろう、六尺《ろくしゃく》や小者たちのほかに、侍が四人待っていた。

「御苦労でございます」

登世はそう会釈したが、花世はつんとすまして、おそろしくいばりかえって、自分の乗物に乗った。

駕脇《かごわき》の供は五人、そのなかで和助が、花世の脇に付いた。

乗物は築地から八丁堀へぬけ、日本橋の大通りへと出ていった。

町家の軒先には、ずっと七夕の笹が立っていた。その枝にむすんである、色とりどりの短冊《たんざく》がなまぬるい軟風に、ひらひらと翻《ひるがえ》って、街ぜんたいが賑《にぎ》やかに浮きたってみえる。

午後三時ごろの、まだ暑いさかりだったが、さすがにめぬきの通りだけあって、人や乗物の往来はかなり多く、乾いた道から舞い立つ埃《ほこり》のなかを、早くも晴れ着になった子供たちが、汗まみれになって駆けまわっていた。

花世には初めての繁華な眺《なが》めであった。

「ここはどこ、この橋はなんというの」

駕の中から、すぐ脇に付いている和助に、絶えず質問をしかける。槍持《やりも》ちの供をつれ、馬に乗った侍などが通ると、あれはどのくらいの身分で、直参《じきさん》か陪臣か、旅へ出るのか、ただの外出か。などと飽きずに追求した。

「あら、これが日本橋、あら、ちょっと駕を停めてみせて」

「どうなさるのですか」

「見てみるのよ、日本橋なんですもの」

「帰りにごらん下さい、唯今はそうしている暇がございません」和助はちょっと厳しく、「それから、もう少しお静かにあそばせ、通行の者にみな聞えてしまいます」

そう云った。すると花世は、彼よりもっと厳しい声で、駕をお停め、と命じた。

駕は停った。

「おろしてお呉れ」

すっかり気を悪くしたらしい、容赦をしない調子だし、その声も少女に似あわず激しかった。駕がおりると、花世はすっと外へ出た。そして、中から敷物を取って、駕の上に置き、その上へ身がるに登って、なんと、横さまに腰を掛けてしまった。

「さあやってお呉れ」

これはゆきすぎであろう、ゆきすぎも程度を越している、といえるかもしれない。

妙齢の、それもかなり眼立つ美貌《びぼう》の少女が、駕の屋根の上に乗って、そのまま行進するというのは、いかに天下の大江戸でも、そう例は多くないと思う。日本橋の上のことで、たちまち往来の人々の眼を集めた。みんな立停って、呆《あき》れかえったように、なかには、なにか芸当でも始めるのだ、と誤解した向きもあるらしい。がやがやと騒がしく寄って来る者もあった。

「乙女さま」

和助はうろたえた。

六尺もまごつくばかりであったが、そこへ、登世の駕といっしょに先へいった、柳沢家の侍が二人、慌てて駆け戻って来た。それを見て、和助は観念し、駕をやれ、と六尺をせきたてた。

花世がそう決心したら、じたばたしてもむだである。このうえ侍たちがつまらない小言でも云うと、どんなふうに曲りだすかしれない。花世には柳沢の侍など眼中にないし、むしろ軽侮しているくらいである。

「どうぞ、なにも仰《おっ》しゃらないで下さい」

駆け戻って来た侍たちに、和助はこう囁いた。

「すぐ飽きますから」

駕は行進を始めた。

往来の左右には人垣《ひとがき》ができ、横丁からとびだして来る者もあった。花世は駕の上で、さも涼しげに、小扇で日をよけながら、これらの騒ぎを眺めおろし、ゆうゆうと揺られていった。

心志相反

一

一日延ばしに延ばしていた、谷町訪問を、半之助はついに、はたさなければならなくなった。

母にせがまれたばかりでなく、役替えが定《きま》ったのと、それを知ったのだろう、冲左衛門から、呼びだしの使いが、来たのである。

——要談の半分は済んだ、半之助はこう思った。

これまでの冲左衛門なら、当然ずかずか押しかけて来る筈だ。使いをよこすというのは、こちらの事情が或《あ》る程度わかり、それについて、きげんを損じている、という意志表示であるとも、考えることができる。

――多少は不愉快なことも云われるだろうが、そのほうがはっきり片がついていい。

彼はこう肚《はら》をきめた。

「縁談のことはなるべく避けて下さいね」出がけに母が云った、「お断わりするにしても、もう少し経《た》って、折をみてからになさらないと」

「なるべくそうします」半之助は供をつれずに出た。

それは七日続きの休暇の、第一日に当り、午後から山村座の茶屋で、なかまと会う約束になっていた。それでまず、すぐ近くの、赤坂新町にある、青山の家を訪ね、都合がよかったら、少し早めに木挽町へ来るように、云った。

「谷町の話はすぐ済むだろうと思う、出なおすのも面倒だし、そのままゆくからね、できたら早く来て呉れないか」

「いよいよ正面衝突かね」主馬はにやっと笑った、「念を押すまでもないだろうが、諸事、穏便にたのむよ」

「どうなるかね」

「冗談でなく、ぜひたのむよ」

「しかし先方で穏便にさせておかないかもしれないぜ」

「そのときはだね、うう」

ふと主馬は、唆《そそ》られるような顔をし、だがすぐ思いかえしたようすで、「そんなとき、忍耐に使ういい話があるんだ、たった今のことなんだがね、すばらしい話なんだが、あとで聞かせるよ」

こう云って、惜しそうに舌打ちをした。

谷町へいくと、はたして、取次の侍まで、態度がよそよそしくなっていた。客間も、とっつきの八帖《じょう》で、いつもの正客の間ではなかったし、さらに驚いたのは、茶をはこんで来たのが、小間使だったことだ。

武家では、客の接待に召使を出すことはない。玄関の取次はいうまでもないし、座敷の給仕も家士か、家族の者がするのが、定《きま》りである。したがって、そのとき、小間使に茶をはこばせたのは、明らかに侮辱であるし、冲左衛門の怒りの、前触れにちがいなかった。

——これは相当荒れるぞ。彼はそっと微笑した。

四半刻《しはんとき》ほど待つうちに、庭のほうで、はでな女の嬌声《きょうせい》が聞えた。その部屋からは、中庭の端しか見えない。向うは赭土《あかつち》の崖《がけ》で、庭は右へと広くなっているが、ここからの眺めは、ひと跨《また》ぎの芝生と、鼻につかえそうな崖であった。

女の声は、右のほうで聞えた。それはいかにも嬌声という感じの、きらきらする声であったが、しだいにこちらへ近くなって来、やがて、その狭い庭の中へ、一人の若者が現われた。……それは五番町の遠藤千之助であった。

半之助はぼんやりと彼を見た。そんなところへ、どうして千之助が現われたか、まるで理解がつかなかったのだ。

「やあ、しばらく」

千之助はこっちを認め、例の人をばかにしたような、うす笑いをしながら云った。

「御栄転だそうですね、御薬園だというじゃありませんか、やっぱり土を掘ったりこやしを撒《ま》いたりするんですか」

万事承知のいやがらせである。

だがそこへ、この家の二女の、佐枝が現われた。つまり、はでな声は彼女であって、千之助を追って来たわけだろう。半之助などは見向きもせず、しかし充分以上に意識して、「だめですわ、遠藤さま、貴方《あなた》の番じゃございませんの、ねえ、早くいらしって」

ねばねばするような甘い声で、しかも千之助の腕を取って、しなしなと軀《からだ》をくねらせた。気の勝った、はきはきした彼女には、ついぞみたことのない、なまめいたしぐさである。

「しょうのない甘えん坊だ」

千之助は眉《まゆ》をひそめながら、極めて親密な態度で、佐枝の引くままに、庭の向うへ去っていった。

「どういうことだ」

半之助は思わず呟《つぶや》いた。

昌雲寺で法事のあったとき、千之助と冲左衛門が知りあったことは、千之助の口から聞いたけれど、彼がどうして谷町へ出入りするようになり、いつそんなにも親しくなったか、半之助には想像ができなかった。

もちろん、それは今の半之助にとっては、縁のないことである。単に縁がないばかりでなく、佐枝のようすでみると、その親密さには、わけがありそうだ。

——ことによると。

婚約、ということが、考えられた。

なんでもない仲にしては、あの声つきや、なまめかしいそぶりは、（誇張とみせつけはあるにしても）ちょっと度が過ぎている。もしもそうとしたら、半之助にとっては、儲《もう》けものといえよう。難関は縁談にあったのだし、先方の条件がそう変っていれば、なによりいやな問答が避けられるだろう。

「そうあって呉れるといいが」ついまたそう呟いた。

冲左衛門はずかずかと来て、坐《すわ》るとき、荒ら荒らしく袴《はかま》をさばいた。色の黒い、頬《ほお》骨《ぼね》の出た、ずいぶんいかつい顔が、ふきげんに硬《こわ》ばって、いっそういかつくみえた。

「勤めが変ったそうだな」

半之助の挨拶《あいさつ》を聞きながして、彼は、問罪者のような眼をした。

「御薬園の支配方へ出ることになりました」

「わしは大目付へ推挙した、そのことは云ってあった筈《はず》だが、忘れたのか」

「うかがったようにも思いますが……」

「ようにも思う」

「そうです、たしか昌雲寺でしたろう、大目付の記録所支配という方から、そのうち空席があったら、という……」

「それがわしの推挙で、その席はもう定っていたのも同様だ、それを承知しながら、断わりもなく他へ転役するというのは、どういうわけだ、わしの推挙が気にいらぬのか」

「むろん、そんなことはございません」

穏便、穏便、と胸のなかで自制しながら、半之助は努めて温和に答えた。

「御推挙は有難いと思います、けれども、それが決定したこととは存じませんでした、御薬園のほうへぜひ、という話があったものですから」

「そのとき一言、わしに断わる必要はなかったのか」

「まことに、どうも」

半之助は低頭した。沖左衛門は、さもにがにがしげに、「将来のことを思えばこそ、大目付に席を取らせようとしたのだ、それを御薬園などというばかな、隠居仕事にもならぬような、つまらぬ役について、いったい今後どうするつもりなのか」

「私にはかくべつ才能もございませんし、出世をしたいという欲もございません、薬草をいじるくらいが、ちょうど分相応ではないかと思います」

「それだけですか」

いきなり、こう云いながら、千之助が庭からあがって来た。半之助は気づかなかったが、いつのまにか戻って来て、それまでの問答を聞いていたらしい。

「理由はそれだけですか」

こう重ねて云いながら、半之助の脇へどっかりと坐った。

「そうじゃないでしょう」

「なにが……」

「御役替えの理由ですよ」

半之助は当惑した。冲左衛門だけなら、ひたあやまりにあやまって済ませる。そのくらいの自信はあるが、この人物が出るとむずかしい。——気をつけないと不愉快なことになるぞ。こう思いながら、それでもできるだけ穏やかな調子で、云った。

「なんだか、私にはわけがわからないが、役替えの理由とは、どういう意味なんだ」

「それはこっちで訊《き》いてるんですよ、もちろんあらましのところは調べ済みですがね」

「ぜんぜんわからないね、云うことが」

「ふしぎですねえ」千之助は冷笑した、「村田なにがしや、青山なにがしは貴方の親友でしょう、絶えず往来をしているし、お互いに深い連絡があるじゃありませんか、それでなにも知らないなんて云ったって、信じられやしませんよ」

「これはいったい、どういうわけですか」

半之助は冲左衛門を見た。

「私には彼の云うことがさっぱりわかりません、お呼びになった御用がよろしければ、帰らせて頂きます」

「いいだろう、但《ただ》しひと言、云っておくが」

沖左衛門は、きめつけるような口ぶりで、だがいやにゆっくりと云った。

「かねて申し入れのあった、佐枝との縁組は、わしも佐枝も不承知だから、ここではっきり断わっておく」

「――はあ」

「それから、いかがわしい人間との往来は慎むがよい、さもないと身の破滅だぞ」

半之助はむらむらと怒りがこみあげてきた。いかがわしい人間とは誰をさすのか、なにがいかがわしいのか。そう反問したくなった。しかし、そこにいる千之助の、皮肉な、刺すような表情を見て、穏便に、という主馬の言葉を思いだし、「ではおいとま致します」と低頭して立った。

二

「今の、谷町の忠告を軽蔑《けいべつ》しないほうがいいですよ」

玄関までついて来て、千之助が、意味ありげにそう云った。

ふり返った半之助は、彼の眼が敵意ではなく、勝者のような、一種の誇らしげな、こちらを見下すような、光りを帯びているのをみて、急に気が軽くなり、微笑がうかんだ。

「いつかの意見と矛盾するじゃないか」

刀を差しながら云った。

女 「私が幸福でいることは、ゆるせない、いつか決闘することになるかもしれない、そう云ったことがある筈だ」

乙 「――――」

彦 「谷町の忠告も、その意味も、よくわからないが、私がもし破滅するとしたら、そっちにとっては本望じゃないのか」

山 「記憶力は慥《たし》かなんですね」千之助は唇《くちびる》を歪《ゆが》めた、「しかし、記憶はいいが理解の点はだめですね、貴方を幸福なままにしておけないのは、この私なんです、貴方をまいらせるなら私のこの手でまいらせたいんです、ほかの者の手でやっつけられても、私は少しもうれしくないんですよ」

「それならもう満足したと思うがね」

「なにがです」

「どうやら幸福の位置が、逆になったようだからさ」

こう云って、半之助はまっすぐ相手を見た。千之助の表情に屈辱の色がうかんだ、そして、彼は式台へおりて来た。

「貴方は侮辱するんですか」

「お祝いを述べているんだ」

半之助は微笑した。

「その席を大事にしたまえ」そして門のほうへ出た。

歩きだしたが、気持は重く、むかむかと、吐きたいような感じが、胸につかえていた。こっちにもしそのつもりがあれば、冲左衛門や千之助の云うことは、むしろ逆に進上したいものであった。

——貴方がたがそんなふうに、自信たっぷりでいられるのは、うしろに柳沢の威勢があり、その威勢が動かないと思っているからでしょう、それが不動のものではなく、すでにゆるぎだしていると知ったら、それでもやはり自信満々でいられますか。こう訊いてやりたかった。

半之助の役替えには、村田平四郎の勧誘があった。それは、青山主馬と築地の、「丸茂」へいったことから始まっている。

村田も青山も、幕府閣僚の一部（はっきりわからないが、その主動的な人物は、若年寄の久世《くぜ》大和守という人らしい）から命ぜられて、柳沢系の動静、すなわち、吉保をとり巻く政治の不正取引、そしてかれらの汚職の事実、将軍綱吉との閨門《けいもん》関係、などを調べている、ということだ。

だが半之助は、そんなことには、まったく興味がなかった。彼は政治に関心がもてない、政治というものには権力が付きものだし、権力というやつは必ず不義と圧制をともなう。それは、その席に就く人物の如何《いかん》にもかかわらないし、決して例外はない。大陸の史書には、英明な国王があって、万民は腹いっぱい喰《た》べ、唄《うた》い踊って泰平に酔った。などということが記してあるが、じっさいにはその「万民」が書いたものでないから、そのままでは信じかねる。

半之助はこう思う。

政治と一般庶民とのつながりは、征服者と被征服者との関係から、離れることはできない。政治は必ず庶民を使役し、庶民から奪い、庶民に服従を強要する。いかなる時代、いかなる国、いかなる人物によっても、政治はつねにそういったものである。

これは人間の個人差からくる、決定的なものだ。と、半之助は考える。

飯は軽く一杯、妻女一人をもてあます者と、三度三度、飯は五杯も喰べ、妻のほかに愛人をもち、なお売女に接しなければ、健康に害がある、という者とある。

極めて卑近な、この両者を比較するだけでも、その差から生ずる、末ひろがりの対立関係は、かなしいほど救い難い。生活力の強い者は、それの弱い者に勝つ。どうしたって勝つのである。消化器官と生殖機能。そして健康と才能。この四つの条件が均一平等にならなければ、強者と弱者、治者と被治者という対立は、永遠に続くだろう。博愛思想や、道義精神、人間的理性などでは、とうてい克服することはできない。

——では適者生存、弱肉強食ということか。

半之助は然《しか》りと思う。

政治を執る者は変る、後者は前者の秕政《ひせい》を挙げ、おのれの善政を宣言する。だがそれはかつて実行された例がないし、将来も実行されることはないだろう。なぜなら、かれらは強者であり、支配者であるから。それが公卿《くげ》の出身であろうと、武家の出身であろうと、また庶民から出た者であろうと、かれらがいちど政治の権力をにぎれば、彼は、もはや彼自身ではなくなる。いかに高潔な、無私公平な、新しい政治理想をもっていても、現実には、必ず強者であり支配者であることから、ぬけ出ることはできないのである。

青山主馬との意見の違いは、こういうところにあった。

主馬はいま、或る古い裁判記録を調べている。それは命令によるものであるが、反柳沢の動きの一環をなすものらしい。彼は丸茂における、柳沢吉里や閣僚たちの、政治的密謀を見せたあと、そのことをうちあけて、半之助にも助力を求めた。

——いやだね。

半之助はにべもなく首を振り、以上のような意見を述べて、自分の立場を、（かれらから）はっきり孤立させたのであった。

御薬園へ転勤になったのは、村田平四郎の推薦によるものらしい。まえにも記したように、平四郎は寺社奉行に席があって、本草学の研究をゆるされている。御薬園とはつねに連絡があるので、

——安倍は人間嫌いだから、草木でも相手にするほうが気楽だろう。

そんなことを云っていた。そしてこんどの役替えになったのである。

谷町から木挽町へゆくと、山村座は休演ちゅうであった。毎年七月いっぱいはたいていの芝居が休む。断わるまでもないだろうが、当時は照明に蠟燭《ろうそく》を使うため、客席の出入り口や戸や窓を閉めなければならない。それと、じっさいにも、暑いから客足がおちるので、よほどの条件でもないかぎり、休演するのが例であった。

もう一度じっくり「物語」の中へ

「**脚注**」で読み直す、新しい山本周五郎

©宇野信哉

★**なぜ、刺客は右手で刀をつかんだのか?**（第一巻『樅ノ木は残った』）

★**さぶと栄二が履いた麻裏草履は、どこが優れてる?**（第三巻『さぶ』）

★**おのぶが働く小料理屋の暖簾の浅黄色は、どんな色?**（第三巻『さぶ』）

▶**答えは全て「脚注」にあり!**（裏面★）

山本周五郎
長篇小説全集

全26巻
新潮社

脚注の力

物語をより深く楽しむために！

周五郎の世界にじっくりどっぷり浸りたい。
登場人物と一緒に、もっと笑い、泣き、味わうための画期的な注釈付。

時代背景がわかる

譜代　代々その主家に仕えること、および仕えている家臣。江戸時代では、徳川家康の三河時代から関ヶ原の合戦までの時期にすでに徳川家に仕えていた者をいう。

外様大名　関ヶ原の合戦以降に徳川家に服属した大名。

服装・髪形・履物・習慣がわかる

麻上下　麻布製の裃（上下一揃いの衣服の総称）。江戸時代の武士や町人の通常の礼服。

★**麻裏草履**　平たく編んだ麻糸の組紐を渦巻状にして裏に付けた草履。藁草履より強く、滑りにくい。

江戸の暮しがわかる

九つ　江戸時代の時の数え方の一つ。深夜と昼の一二時前後を「九つ」として、一刻（約二時間）ごとに「八つ」から「四つ」まで数を減らしていく（「三つ」以下はない）。

小粒　「一分金《いちぶきん》」の通称。江戸時代の長方形の小型金貨の一種。

辻駕籠　町の辻などで待っていて客を乗せる駕籠。

武士の暮しがわかる

（作法・規則・習慣など）

老中　江戸幕府の最高職。将軍を直接補佐する。

元服　男子が成人になること。通例は一一〜一七歳頃、髪型や服装を変え、冠または烏帽子（烏の羽のような黒い色の帽子）を着け、成人名を名乗る。

町人の暮しがわかる

番頭　商店などの使用人のかしら。主人に代わる経営責任者として店を取りしきる。

通い番頭　自宅を持ち、店に通勤することを許された、古参の番頭。

手代　商店で、無給の丁稚修業を終えた者が昇格して就く身分。番頭のもとで働き、給金が出る。

色名のニュアンスも

★**浅黄色**　浅葱色。緑がかった薄い藍色。水色。

鴇色　鴇の羽のような色。薄紅色。

納戸色　ねずみ色がかった藍色。

時代小説ならではの表現もすっきり

★**右手**　武士は他家を訪れる際、作法として刀を右手に持ち、右側に置いて座った。

刀を袖で抱えて　女性が刀を受け取る際、着物の袖や袱紗を使って持つ。

その他こんなことまでわかる！

◉人物紹介、複雑な人間関係がわかる
◉現在の地名がわかる
◉道具の説明も丁寧に
◉動物や植物の説明も
◉現代では見慣れない表現もすっきり

……など

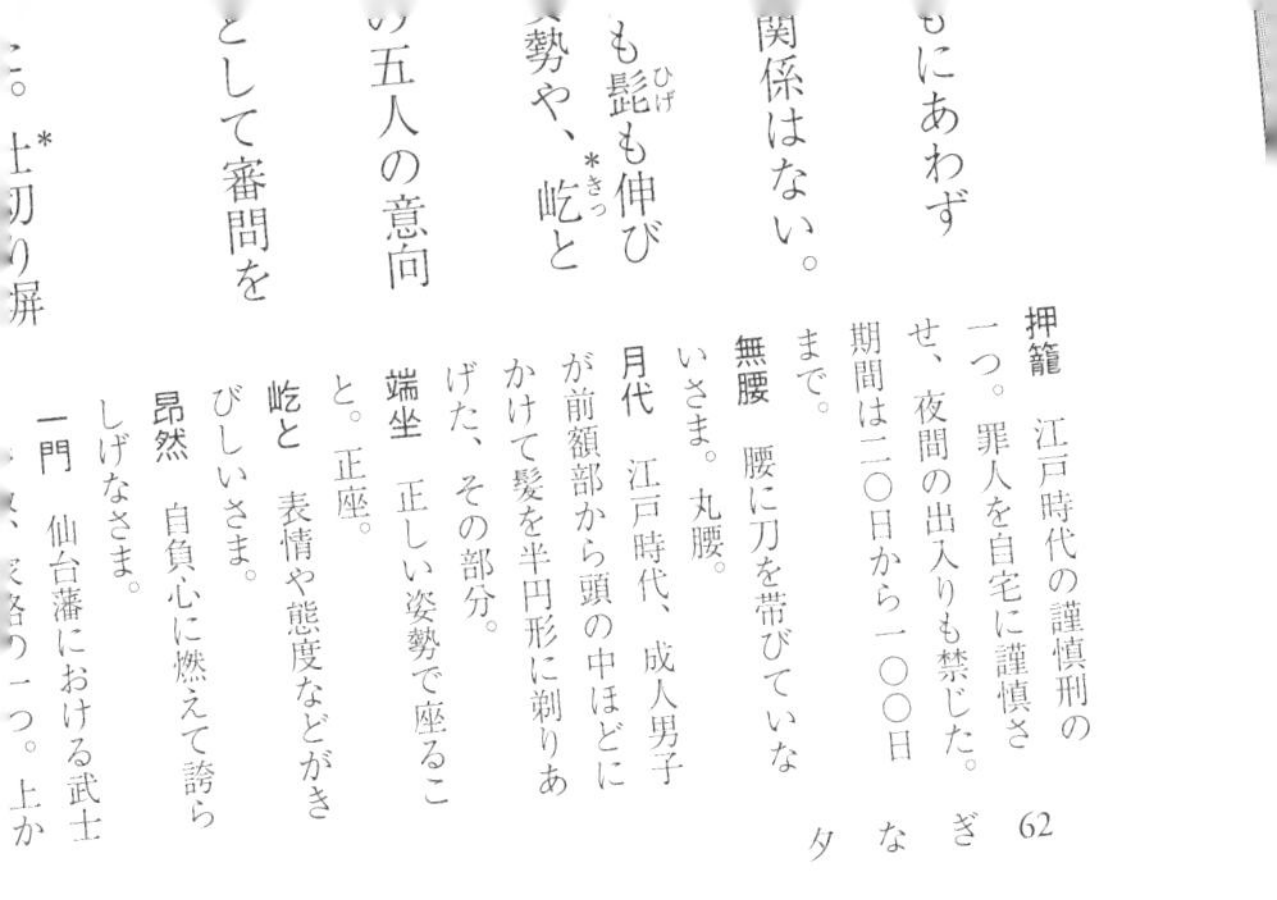
もにあわず
関係はない。
も髭《ひげ》も伸び
勢や、*屹《きっ》と
の五人の意向
として審問を
こ。　上*切り屛

押籠　江戸時代の謹慎刑の一つ。罪人を自宅に謹慎させ、夜間の出入りも禁じた。期間は二〇日から一〇〇日まで。
無腰　腰に刀を帯びていないさま。丸腰。
月代　江戸時代、成人男子が前額部から頭の中ほどにかけて髪を半円形に剃りあげた、その部分。
端坐　正しい姿勢で座ること。正座。
屹と　表情や態度などがきびしいさま。
昂然　自負心に燃えて誇らしげなさま。
一門　仙台藩における武士……つ。上か

62　夕なぎ

●原寸組見本『樅ノ木は残った』(上)

いつもはためいている幡旗《はんき》もなく、絵看板も、役者の名を書きつらねた庵看板《いおりかんばん》もなく、ひっそりと木戸をおろした劇場や、その前の、人通りも稀《まれ》な広い道の上に、午《ひる》ちかい晩夏の日が、ぎらぎら照りつけているさまは、云いようもなくもの佗《わび》しい、眺《なが》めであった。

「まあお珍しい、ずいぶんお久しぶりですね」

茶屋の店の脇《わき》で、客膳《きやくぜん》用の器物を出して、つやや布巾《ぶきん》をかけていた女中たちのなかから、おいそが呼びかけ、同時になをが、冠《かぶ》っていた手拭《てぬぐい》や、襷《たすき》を外しながら出迎えた。

「ひまなもんですから、いろんな物の風入れをしてますの、今日はおつれさまは」

「あとから来るが、いいのか」

「なにがですか」

「休んでるんじゃないのかというのさ」

「どう致しまして、休んでたって一つ木の若さまなら」

なをには珍しく、お定りのあいそを云いながら、先に立って二階へあがった。

汗を拭《ふ》き、浴衣《ゆかた》に着替えるあいだも、なをはうきうきした調子で、つかぬようなことを話しつづけた。かつての、淋《さび》しげな顔だちが、おどろくほど明るく、活《い》き活きとみえ、大きな身ぶりをしては、しきりに笑った。

——恋人でもできたか、縁談でもまとまったのか。

こう想像した半之助は、いつだったか、彼女が沈んだようすで、——聞いて貰《もら》いたいことがあるのだが、と云ったことを思いだした。——でもこの次にしましょう。

そんなふうに、自分ですぐうち消したが、そのときすでに、恋人ができるとか、縁談があるかして、相談をしかけたのではないか。半之助はこう思ったので、

「ばかに嬉《うれ》しそうだな」と、彼もまた珍しく軽口をきいた、「いつか話したいことがあると云っていたようだが、なにかいいことがあったとみえるな」

「あら、覚えていて下すったんですか」

い、なをは半之助の脱いだ物を片づけながら、しなをつくるように横眼で見た。

「やっぱり情があるわね、若さまは」

「若さまはよせ、どうしたんだいったい、お嫁にでもゆくのか」

「ええ、ええそうなんです」

へんに力をこめて、こんどは俯向《うつむ》いて、袴の紐《ひも》を折りながら云った。

「いろいろと、あったんですけれど、それでいちど御相談したかったんですけれど、でもどうやら話がきまりましたから」

「じゃあお祝言だな」

「もうそれも、ここ四五日のうちですの」

「それはおめでとう」

半之助はこう云って、ふと笑いながら、「お婿《むこ》さんはどんな人だ」

「申上げちゃいましょうか」なをはこちらを見た、「この家の板前をしている、清太郎という人なんです、御存じじゃないでしょうけれど」

「うん知らない、しかしそれは、いい縁じゃないか、同じ家にいたのなら、お互いに気ごころも知れているだろうし」

「ええ、とても温和《おとな》しい、いい人なんです」

云いかけて、あら、と顔を赤くし、汗になった肌着《はだぎ》を干すために、慌《あわ》てて立った。

「ごめんなさい、手放しで若さまにのろけたりして」

「あとでお祝いに、二人で一杯飲んで貰おう、今のうちにその人にそう云っておいて呉れ」

「はい、ぜひ頂きにあがらせますわ」

冷たい砂糖水をひと口飲んで、半之助はそこへ横になった。

酒の支度をしようか、となをが聞きに戻ったが、主馬がもう来るだろうし、まだなにも欲しくなかったので、そのまま待つことにした。

三

――これで谷町とは縁が切れるだろう。

母はまだみれんがあるらしい。しかし、半分は諦《あきら》めていたようだ。千之助が、自分の代りに佐枝の婿になりそうだ、ということを告げたら、どう思うだろうか。

「二人は伯母と甥《おい》だ」

ふと呟《つぶや》いて、そんな呟きがしぜんと口に出たことに、半之助は少しおどろいた。

――おれの気持は、母からまで、こんなに離れてしまった。

たしかに、もうかなりまえから、彼には、母の存在がうるさくなっていた。父の生きていたときは、そんなことはなかった。小言もすなおに聞けたし、身のまわりの、こまごましたことも、すすんでして貰った。もともと、よその家庭ほど厳格でなかったのと、一人息子で、我儘《わがまま》に育てられたから、どっちかというと、母にはあまえっ子であった。今でも、母のいないところでは、ときによると、かなしいほど母に愛情を感じるが、いっしょにいると、堪《たま》らなく気ぶっせいで、鬱陶《うっとう》しくて、苛《いら》いらしてくる。

それは、まるで本能のように、抑えることのできないものであり、しだいに強くなるばかりだった。

　こんどの役替えを承知したのは、単に谷町の庇護《ひご》を避けるためだけでなく、母のそばから離れられる、という点でも好ましかったのである。

　御薬園は、もと江戸城内の吹上《ふきあげ》にあったが、寛永年中に、城外の南北に分けて設けられた。北は高田御薬園といい、南は麻布御薬園といった。のち北は廃止になり、南も小石川の御殿地に移された。当時は典薬頭《てんやくのかみ》に属していたが、さきごろ若年寄の支配に変り、御薬園奉行の職制が定って、目黒の駒場に新しい薬園ができた。

　半之助は、その駒場の薬園に勤めるのだが、通勤でなく、休日のほかは、小屋に詰める規則である。それは九月になってからのことで、まだ母にも話してはないが、彼には待ちどおしいくらいであった。

　――こうして、だんだんと、独り離れてゆく、主馬とさえも。半之助は眼をつむった。

　主馬とは誰よりも親しく、お互いに心の隅《すみ》まで知りあっていた。けれども主馬は変ってきた。彼はもう、人間らしい生きかた、などについて悩んではいないらしい。どうしたら意義のある、充実した生活ができるか、……かつては会うたびに、しんけんに論じあったことが、主馬にはもう問題ではないようだ。——彼は活き活きとし始めた。そんな抽象的なことを、考える暇がなくなったのだろう、つまり生活が始まったんだ。

それが自然かもしれない。人間はつまるところ、おのおの生活にはいってゆく。生活は世の中の機構のなかにあるから、惰性と常識に馴《な》れてゆくよりしかたがない。——そして主馬も、他の幾千万のおとなのように、おとなになってゆくんだ。

こう思って、ふと溜息《ためいき》をついたとき、主馬が元気な足音をたてて、はいって来た。

四

「どうした、うまく穏やかに済んだかね」

「どうだかね」

主馬が着替えるのを、寝ころんだまま眺めながら、半之助はもの憂《う》そうに答えた。

「忍耐に使ういい話というのを、聞いておけばよかったかもしれない」

「その話はするよ、しかし約束は守って呉れたろうな」

「おれは守ったがね、どうやら守っても守らなくても、同じことらしかったよ」

「というのは……」

「まあ着替えてからにしよう」

主馬が浴衣になり、あとを片づけたなをが、注文を聞いて去ると、半之助はようやく起きあがって、冲左衛門や千之助との問答を、あらまし語った。

「ははあ、いかがわしい人間、とね」

主馬は首を捻《ひね》った。

「私はともかく、村田の名が出たとすると、まんざらかまをかけたわけでもないだろうが、しかし、そんな筈《はず》はないんだが」

「そうかねえ」半之助は団扇《うちわ》を取った、「こっちで向うのことを探っているとすれば、向うでもこっちの動静を探るのは自然じゃないのか、おれには関係のないことだけれど、そいつはお互いさまだと思うがな」

「或る点はむろんそうなんだ、柳沢排斥はなかば公然たるものだからね、しかし私のやっていることや、殊《こと》に村田の担当などは、感づくわけがないんだよ」

「それは青山がそう思うだけだろう、隠すよりあらわるるはないというからな」

「だって私は裁判記録の整理をしているんですよ」

汗を拭きながら、主馬は、まるで半之助の了解を求める、といったふうな調子で、

「ひと口に云うと、裁判の成文を作るために、判例の分類をやっているわけなんで、

しかも私が受持っているのは、寛永から慶安年代までなんだからね」

「しかし、反柳沢の運動と無関係じゃないだろう」

「具体的にいえばこうなんだ」

主馬は団扇をつかいながら、こう云った。

彼は二年まえ、評定所へ勤めだすと同時に、今の仕事を割当てられた。それは、古い裁判記録を、その犯罪と、判決によって分類するという、極めて退屈なかび臭い仕事であった。裁判を判例法にするか、成文法にするかの、基本的な調査だったが、調べているうちに、由井正雪の事件にぶつかった。

ここでその出来ごとを、詳しく記す必要はないだろう。徳川幕府の権威がしだいに確立され、ほぼ百年泰平のみとおしがつくと共に、主人をもたない武士たちや、主家の改易で浪人した人々の、仕官や出世の機会が少なくなった。原因はほかにもあるだろうが、これらの浪人たちを煽動《せんどう》して、由井正雪という市井《しせい》の軍学者が、社会変革の謀反《むほん》を企てた。それが事前に発覚し、徒党は空《むな》しく罪死したのであるが、その企図の全貌《ぜんぼう》は、当時の幕府の方針として秘匿《ひとく》され、詳しいことは殆《ほと》んど知らされなかった。

「謀反としてはたいした規模のものじゃない、実現の可能性もあまり認められない程度のものなんだが」と主馬は云った。

「ただそこに、一つだけ、疑問があるんだ、それは一味の資金関係だ」

「おれが聞いても、興味のあることか」

「聞くだけは聞いても損はないでしょう」

そこへ、なをとおいそが酒の膳をはこんで来た。主馬は、酌《しゃく》をしに坐ろうとする二人を、下へ去らせて、半之助と自分の盃《さかずき》に、手ばしこく酒を注《つ》ぎながら、続けた。

「規模としては単純なものだが、集まった人間が浪人たちだし、予備行動には相当の費用が使われている、その資金がどこから出ているか、それがはっきりわかっていない」

「しかし、丸橋某という男は、槍《やり》の大きな道場のあるじだったんじゃないのか、それにおれなどはまるで知らないが、紀伊家だか尾州侯だかが……」

「いやそんなものじゃない」

口まで持っていった、盃をそのまま、主馬は首を振って云った。

「丸橋はたいした浪費家で、むしろ生活の面倒までみて貰っていたらしい、紀州家の後援というのは、まったく事実無根だし、尾張家は一味が利用しようとしたものだ、というのは、尾張家初代の義直という人が、家光公とよくなかった、いろいろとまずいことがあって、幕府との折り合いもしっくりしない、慶安三年に亡《な》くなっているけれども、この関係はかなりひろく知られている、そこに正雪が眼をつけたんだ、そして行動を起こすばあいの、道具の二三に尾州家の印を付けたりしたんだが、むろん、その資金は……」

「――では、その資金は……」

「主謀者の正雪が自殺したから、徹底した真相はわからなかったようだ、けれども、私が調べていた記録の中に、その資金の提供者と思われるものが、偶然にみつかったんだ」

こう云って、主馬は、ふところから紙入を出し、その中から一枚の小さな紙片を抜いて、そこへ披《ひろ》げた。

「これを見て呉れ」

その紙片には、黒い菱形《ひしがた》を三つ集めた、翼をひろげたなにかの鳥のような形の、紋章が描いてあった。

「どこかで見たことがあるな」

半之助は眼を細くした。

「しかし、これがどうしたというんだ」

「正雪の、隠れた女の家から出た、証拠物件の一つなんだが、それには、富士川を遡《そ》行《こう》する旅次の記と、或る金額の受取の控えとおぼしき書き物があり、それにこの紋章が捺《お》してあったんだ」

「その金額というのは」

「単位があいまいなんだが、どうやら万以上のものらしい、前後二回くらいに分けて渡されたようで、なおまだ幾らでも引出せるようなことが書いてある」

「ああ、そうだ……」

話を聞きながら、紙片の黒い菱形を眺めていた半之助は、こう云って、ふとその紋章を指さした。

「わかったよ、この紋が」

「気がついたかね」

「これは築地の、いつかいった丸茂の家の、釘隠《くぎかく》しに付いていた金具と同じだ」

「そのとおりさ」

「それだけじゃない」

半之助は団扇を置いた。

「——というと」

「そのまえにもいちど……」

そういいかけて、半之助はちょっと口ごもった。

丸茂の家で、釘隠しの金具を見たとき、それが初めてではなく、まえにいちど、見覚えがあるように思った。たしかに、どこかで見たことがある。それも、かなり印象ぶかい条件のなかで、……そう考えたものであるが、今ようやく、その記憶がよみがえってきた。それは山村座の、あの茶屋でのことであった。

今日も主馬が来るまで、彼はそこに寝ころんでいたが、その日も同じように、横になっていた。そして一つおいた向うの座敷で、若い女がすはだかになって、三人の男の召使に、軀《からだ》じゅうを拭かせていた。そのとき、手拭をゆすぐのに使った、蒔絵《まきえ》の半《はん》挿《ぞう》に、そのふしぎな紋が付いていた。

――たしかに同じだった。

見馴れない形だから、誤りはない。

――実は。

と話しかかったが、そこでまたふと、その半挿の紋を見たときも、それよりまえに、見たような気がしたことを、思いだした。

――そうだ、あのときもそう思った、どこかで見た覚えがあるように……。

そう気がついたし、若い女性の裸を見たということが、ちょっと口にだしかねて、半之助はあいまいに言葉を濁した。

「いや、よく思いだせないが、すると、正雪に資金を出したという人間と、丸茂の家と、なにかひっかかりでもあるのか」

「証拠はないけれども、とにかくこの紋が珍しいし、丸茂にいる女主人というのが、どこのなに者かまだ不明で、いつか見たとおり、柳沢系と深い関係がある」

「それはおかしい、その順でゆくと、柳沢も正雪のように、謀反でも企《たく》らんでいる、というふうことになりそうじゃないか」

「もしそうだとしたら、どうだ」

「べつにどうということもないさ、おれには縁もないし、興味もないことだ」

「柳沢系ではだいぶ悪あがきを始めている」主馬は構わずに云った、「吉保その人は、どこまでかかわっているかわからないが、身辺を囲む人々は、殆んど謀反を企むのと同じような、じっさいに法を犯した事をやっているし、また、現在それをやりつつある」

「済まないが簡単にたのむよ」

「むろん要点だけ云うが、かれらの、そういう不法な企てに、丸茂の女主人というのが、相当重要な関係をもっているらしいんだ」

「――なんのために」

「それを知りたいのさ、女主人というのは、ちょっと凄《すご》いような美人で、おまけに、日常のくらしぶりや、召使たちに対する態度が、まるで大名の姫にも劣らない権式《けんしき》だそうだ」

「そんなことまで調べたとすると、あのとき給仕に出た女中の一人は……」

「諜者《ちょうじゃ》は一人ばかしじゃないさ、が、まあそんなことはいいとして、その女主人の素性というものがわからない、江戸の者でないことは間違いないし、町人や農家の者でもない、おそらく富裕な郷士の娘だろうという推定なんだ、ずいぶん荒っぽく金をばら撒《ま》くからね」

「人によっていろいろの道楽があるさ」

「人によってね」主馬はじれたように云った、「しかし、この珍しい紋が、正雪の事件とも関係があり、またこんどもひっかかってきた、ということは、趣味や道楽では説明がつくまい」

五

「このあいだの七夕に、あの女主人は妹と二人で、柳沢の駒込の屋敷へいった」

主馬はこう続けた。

「その宴席では、姉妹してなにか舞ったあと、姉のほうが、柳沢吉保父子と、ながいこと密談をしたそうだ、そのとき、……どういうわけだかわからないけれども、妹のほうは屋敷をぬけだし、そのままどこかへ出奔してしまったらしい、たいへんな騒ぎだったということだ」

「そんな処《ところ》にまで、諜者が入れてあるとは」

「まあ聞けよ、つまり丸茂の女主人は、そのとき柳沢父子に、なにか積極的な計画をもちだしたと思えるふしがあるんだ」

「ちょっと質問するがね」半之助はまた団扇を取って、「いつか築地の海端で聞いたね、そう、丸茂の帰りだったろう、村田が長崎へいったというのは表面の口実で、本当は某方面の探査をして来たんだという」

「ああ話したよ」

「その探査というのも、青山が今やっているのと、同じようなことなのか、もうひとつ、彼が植物調査といって、しばしば旅をするのにも、そんな意味があったのか」

「こわいような質問だが、そのままでないにしても、そういう意味は無いわけではないらしいな、諸侯に対する隠密は、なにも甲賀者や伊賀者に限らないだろうから」

「それでわかるよ」半之助はにっと笑った、「谷町などで知っていることがさ、それだけ組織的にやっていれば、向うが嗅《か》ぎつけるのは当然だ、そんな筈はないなんて云うほうがおかしいよ」

「なにもそう言葉尻《じり》を取ることはないじゃないか、かれらに知られたということが事実なら、こっちにも方法はあるんだ」

「但《ただ》しおれを除いてだよ」

盃に口をつけて、呷《あお》るように飲んで、半之助はきっぱりと云った。

「村田の本草学が、裏にそんな意味をもっているとすると、おれが、彼とつながりのある薬園詰めになることは、谷町などの疑惑をまねくのはわかりきっている、薬園詰めになったことだけだってだ、そのうえもし、なにかおれにさせるつもりなら」

「いや大丈夫、その点は保証しますよ」

主馬はひとつ頭をさげた。

「要約すればですね、村田にはそういう使命もあるが、同時に各地の、植物分布と、薬用草木の調査という仕事がある、それはどこまでも現実にやらなければならない、だから、彼の採集した草木の根や種子を、薬園へ移植し、栽培する者が必要でしょう、なぜなら、ときには珍種と称して送って来るものが、ただの雑草だというばあいもありますからね」

「ははあ……」

「そんなときには、適当に始末する者がいないと、ぐあいが悪いわけですよ」

「共謀者だが幇助《ほうじょ》罪というところか」半之助は盃を持ったまま、「忍耐をするのにいい話というのを、聞かせて貰《もら》おう、さもないとおれは」

「話すよ話しますよ、とにかく一杯、まあどうぞ、私も二三杯やらないとね」

彼は手酌で三杯ほど飲んだ。

「これは安倍だけにしか話せないことなんですがね、ことによると忘れたんじゃないかとも思うが、稲垣のしほという娘のことを覚えていないかね」

「稲垣の、しほ……」

こう云って、すぐ思いだして、半之助はわれ知らず微笑した。

「ああ覚えているね、主馬の熱烈な恋人だったろう」

「熱烈な恋人はいいけれど、なぜそんな妙な笑いかたをするんです」

「このくらいはしかたがないさ、恋文をみせたり、熱烈なところを聞かせたり、しまいにはあっさり嫁にゆかれて、三銭くらいのねうちしかないようなこころもちになったまで」

「ああ待った、それを」

主馬は慌《あわ》てて手を振った。

「そこまで云うことはない、そういう感想はその場かぎり忘れて呉れるもんですよ」

「それで、そのしほ女がどうかしたのか」

「どうも三銭のねうちというやつを覚えていられると、ちょっと話しにくくなるんだが、ま、思いきって話してしまいますがね、こいつは出鼻を挫《くじ》かれたかな」

主馬はさらに三杯、たて続けに飲んだ。

「まず、ずばりと云うが、そのしほ女が現われたんだ」

「――新町へか」

「さよう、拙者の家へだ」

半之助はじっと相手を見た。

「さっき、つい今しがたと云ったようだな」

「ひと足ちがいで帰った」

「それについてふしぎはないと思うがな、彼女は青山家の遠縁に当るんだろう」

「むろんその点にふしぎはないさ、そういう意味ならこれまでにも、三度ばかり来たことがある、今日のは違うんだ、云ってしまうがね」彼は膝《ひざ》へ手を置いて、「しほ女はおれのところへ、結婚の承諾に来たんだ」

「――ほほう、……」

「彼女は良人《おっと》に死別して、女の子を二人つれて実家へ戻った、もうなにも二人の仲に障害はないから、貴方《あなた》の結婚の申し込を承知する、という仰《おお》せだ」

　そこで主馬は渋い顔をした。世の中にこれより渋い顔はない、といいたいくらいの、第一級の渋い顔であった。

「これには少しの誇張もない、彼女はすこぶる明朗で、無邪気で、塵《ちり》ほどの汚れもない顔つきで、こんなふうな眼つきをして、しなやかに身をくねらせて云うんだ、自分は貴方ひとりが生涯《しょうがい》の良人だと信じていた、死ぬまでそう信ずるであろう、男の子は婚家へ取られたが、女の子二人はどうしても離せない、まわりの反対を押し切って連れ戻った」

「待って呉れ、あれは、嫁にいってからたしか、まだ四年そこそこじゃなかったのか」

「連れ戻った女の子というのは双生児なんだ」

「なんと、それは……」

「その双生児のためにも、貴方は良き父親になって呉れるだろう、と彼女は云ったさ、そう信じて少しも疑わない、なぜなら、貴方は自分を誰よりも愛していて呉れるから……どんなに隠しても、自分にはそれがよくわかる、そう云って、あでやかに身をくねらせ、こんなふうな眼で、私のことを見ました」

主馬は憤然と叫んだ。

「さあ笑って下さい、こんどこそどんな妙な笑いかたでも甘受しますよ、さあどうぞ」

「——なんと、そこまではねえ」

半之助は溜息《ためいき》をついた。

六

「つまりそれで、青山としては、忍耐したわけなんだな」

「どうすることができますか、相手は純情で無邪気で、やましい気持などは爪《つめ》のさきほどもないんですから、しんそこ、結婚してやろう、というつもりなんだからね」

主馬は両方の手を前へ出して、片方ずつ、ぎゅっと握りながら云った。

「私はまず、初めに喉《のど》へこみあげてきたやつを、この手でこう、ぐっと握りつぶし、次にこみあげてきたやつをこっちの手で、そのあとのやつを膝の下へ、満身の力でこう、ぐうっと握りつぶし、押えつけました、そうしておいて、感謝の意を表しました」

「――すると、結婚するわけなのか」

主馬はもの凄いような眼をし、両方の握り拳《こぶし》をつきだし、猛犬の唸《うな》るような、けんのんな声で、しかしゆっくりと云った。

「この手の中では、まだそいつが、暴れだそうとして、ぐいぐい身もだえをしている、手の平へ嚙《か》みつきもする、私はこいつを一生、この両手にぶら下げていなければならないと思う、そのくらいの気持なのに、安倍には私が結婚するように思えるのかね、それほど私は」

「わかったよ、なにもそう眼を剝《む》くことはないさ」

「眼をどうしたって」

「おれの薬園の仕事だって、それとさして違いはしない、さきにわかっていたら断わるんだが、主馬の忍耐につきあって」

こう云いかけて、半之助はふり返った。

おいそと正木の賑《にぎ》やかな声が聞え、階段をあがって来る足音がした。主馬は、すべて内密、という眼くばせをし、盃を取った。正木重兵衛と、松室泰助がはいって来た。

「遅刻したですかね」

正木は汗まみれの顔で、せかせかと云った。

「いそいで来たんだが、木挽橋のところで喧嘩《けんか》があってね、侍と犬なんだが」

「またばかなことを」

「いや本当だよ」重兵衛は袴《はかま》をぬぎながら、「犬が吠《ほ》えついたんで、侍が怒ったらしい、癇持《かんも》ちなんだろう、まっ赤になってね、自分は犬が好きで、迷子ののら犬にさえ自分の食物を分けてやっている、できものだらけで毛の剝《は》げちょろけたような犬でさえ、自分はつい頭を撫《な》でてやらずにはいられない、自分にとっては犬は友人以上のものである、にも拘《かかわ》らず、自分に対して吠えるというのは、なにごとであるか、自分のどこが悪いか、どこが怪しいかって、むきになってどなってる、犬のほうは聞いてやしません、ただもうわんわん、むやみにわんわんわんね」

「御役替えだそうだが」

松室が半之助に云った。

「今日はわれわれが招待するわけか、それとも安倍の招待か」

「どっちでも同じことだろう、早く汗を拭《ふ》いて坐《すわ》るがいい」

主馬が答えた。

二人が浴衣《ゆかた》になり、膳《ぜん》がはこばれ、ようやく盃がまわりだした。村田がおそいがどうしたろう、などと云っていると、なをがあがって来て、「青山さまにお客さまです」と云った。

「お武家さまがお三人で、下まで来て頂きたいと仰《おっ》しゃっています」

「侍が三人、誰だろう」

主馬は首をかしげながら立ちあがった。

主馬が下へおりていって、まもなく、なをが彼の刀を取りに戻った。

「どうしたんだ」

「なんだかわかりませんけれど、いらしった方たちといっしょに、どこかへおでかけのようでございます」

「でかけるって……」

「はい、着替えも此処《ここ》でしろ、刀も持って来させろって、お三人が青山さまを取り巻いて」

「ちょっとみて来る」

重兵衛が立とうとした。

「いや待て、おれがゆこう」

半之助は彼をとめ、刀を右手に持って立ちあがった。

——身の破滅。

そんな言葉が頭にひらめいたのである。階段をおりてゆくと、店先に主馬が立ち、その左右を三人の侍が、いきごんだ姿勢で、とり囲んでいた。

半之助はちょっと息をのんだ。主馬の右脇《みぎわき》にいる小男は、見たことがある、やはり丸茂で会ったみじん流の剣術の達者だという、たしか次高来太という男にちがいない。

「どうしたんだ、青山」

「なんだかわからない、大目付へすぐ出頭しろというんだ」

「用件はなんだ」

「記録書類がどうとかいうんだが、詳しいことは此処では云えないそうだ」

「おかしいじゃないか」

こう半之助が云いかけると、次高来太という男が前へ出て来た。

「貴方は黙っていたほうがいい、自分に関係のないことには口だしをしないことだ」

「ではそっちはどうだ」

半之助は遮《さえぎ》って云った。

「いつか丸茂という家で、この顔を覚えておけと云った、みじん流の次高なにがしとかいうそうだが、大目付とどんな関係があるんだ」

「それが気になるかね」

短くて太い眉《まゆ》が、ぴくっとあがり、色の黒い顔が醜く歪《ゆが》んだ。

「よして呉れ、安倍」主馬が手を振った、「私はいって来るよ、大丈夫だ、いけばわかるだろうし、決して心配はない」

「しかし大目付からの召状《めしじょう》はあるのか」

「特に口上で、ということなのです」前にいた一人が云った、「表沙汰《おもてざた》にはしない、という意味らしいんですが」

「それにしては、こんな場所からじかに呼出すなんて腑《ふ》におちない、貴方がたはたしかに大目付の人ですか」

「うるさいな」次高来太が云った、「いいかげんに黙らないと後悔するぞ、おれは酔興で介添《かいぞえ》に来たんじゃない、来るには来るだけの役目があるんだ、文句があるなら采《うね》女《め》ケ原へでもゆこうじゃないか」

「たのむよ安倍、不必要だ」主馬は二人の間へはいって、半之助を階段のほうへ押しやり、「本当に心配することはないんだ、ゆけば済むことなんだから、どうか黙って」

大きな声で云いながら、三人から離れたとみて、すばやく囁《ささや》いた。

「村田に知らせて呉れ」

半之助は次高来太の（不愉快な）顔を、眉をひそめながら見ていた。

半之助は迷った。主馬は、村田に知らせろ、と云ったが、彼にとっては、主馬のことのほうが、さし当って気にかかった。

次高という男は、柳沢系の人間だ、と主馬から聞いた。現に次高自身の口ぶりでも、大目付には、正式になんの関係もないらしい。他の二人も、本当に大目付の役人であるかどうか、もしそうであったにしても、柳沢の糸を引いているに相違ないし、とすれば、どこへつれてゆかれるかわからない。

――ゆき先だけでもつき止めておくほうがいい、あとを跟《つ》けよう。いちどはこう思った。

しかし次に、同じ危険が村田にも迫っている、ということを考えた。主馬はすでに捉《つか》まったのである。それはもうできた事だ。それよりも村田に知らせて、村田を危険から救うほうがいい、村田に主馬を助け出す法があるかもしれない。こう思いなおした。

――だがどうする、村田は此処へ来る筈《はず》である、家にはもういないだろう、といって、此処へ来れば、どこかに待伏せている者があるかもしれない。

主馬がつれてゆかれるのを、見送ってから、二階へあがるとすぐに、表のほうの窓へいって、外のようすを窺《うかが》った。

「どうしたんだ」重兵衛が不審そうに、「青山がどうかしたのか」

こう云って立って来ようとした。半之助は手まねで抑え、そのままややしばらく、外を見ていた。すると、主馬がつれ去られてから、殆《ほと》んどひと足ちがいで、木挽橋のほうから、村田平四郎の来るのが見えた。

——知らせに走るか。

しかし浴衣ではとびだせないし、まにあわないかもしれない。

——無事に来て呉れ。

道の左右に眼をやりながら、半之助はそう祈った。前が休演している劇場だから、道は広く、人通りも稀《まれ》である。待伏せがいるとすれば、すぐみつかるし、隠れようもなかった。

だが案じたような事も起こらず、村田は無事に茶屋へはいって来た。

「青山が捉まったよ」

階段口までいって、半之助がそう云った。暑さで少し痩《や》せてみえる平四郎は、いっもの、少しも動じない眼つきで、半之助の話を頷《うなず》きながら聞き、「すぐ手配をしよう」と低い声で云った。

「心配しなくっていい、かれらには、なにもできやしないんだ」

「しかし村田も帰るほうがいいんじゃないか、家へいってみていないと、かれらはまた此処へ来ると思うが」

「大丈夫だよ」

背の高い平四郎は、ちょっと前踞《まえかが》みになるような歩きぶりで、座敷へはいりながら、重兵衛と松室に挨拶《あいさつ》し、本のはいっているらしい、風呂敷包を、半之助に渡した。

「これを参考に読んでおいて呉れないか、新井白石の書いたものの写本だがね、まだ板行《はんこう》されていないんだが、東雅という題の書物で、巻の十三から十六まである、穀類菜類から、草木の部まで、字解や類別だけだけれど、そのうち本草綱目をやるときに便宜だから」

半之助はふきげんに包を受取った。

それから酒になったが、平四郎の云ったとおり、終るまでなにごともなかった。

やまない雨

一

八月にはいるとまもなく、予定より少し早かったが、半之助は駒場へ移った。

母はそれまでなにも知らなかったので、もう逢《あ》えなくなる別れでもあるかのように、黙っていたことを恨み、自分もいっしょにゆく、などと泣き声をあげるので、云いなだめるのに、かなり骨を折った。

——月に二度くらいは必ず帰って来ますよ。

——それなら荷物をそんなに持ってゆくことはないでしょう。

——荷物といってもおもに本ですよ。

そんな問答もした。また、駒場ではおそらく退屈だろう、と考えたので、読みたいと思いながら読めずにいた本は、仏教関係のものまで包んだ。そのために、二日ばかり土蔵の中を掻《か》きまわしたが、祖父の蔵書の入っている長持の中をみているうち、妙な物をみつけだした。

油紙でいやに丹念に包んだ、書類のような包で、表に「厳秘」と、父の手で書いてあった。

——なんだろう。

しばらく見ていたが、厳秘と書いてあるところから、ことによると他人に見られたくない父の私物か、と思い、そのまま元へ返そうとして、そして、あっと声をあげた。

——あれだ。

それは叔父の遺品であった。五番町の、遠藤兵庫が、ふしぎな失踪《しっそう》をしたあと、下僕が持って来たもので、中には、甲府勤番ちゅうの日記や、見聞記や、かんば沢に関する調書などが、ある筈である。

半之助は十余年まえ、いちどその包をあけて、それらの手記を見たことがあった。その後、父がどこかへ隠し、自分もすっかり忘れていたのである。彼は感動するほどの、なつかしさにおそわれ、その包も荷物のなかに加えた。

青山主馬は、山村座の茶屋からつれてゆかれた翌日、無事に家へ帰った。

——裁判記録を役所の外まで持ち出した、というお叱《しか》りさ。

こう云っていたが、それだけでないことは、想像がついた。やはり反柳沢のごたごた、お互いの威《おど》しあいや、騙《だま》しあいの一つであろう。そして、主馬自身も、村田平四郎も、少しも動じなかったように、そこには半之助などにわからない、政治的なからくり、があったに相違ない。

——いやな話だ。心配しただけ、よけいに、半之助はうんざりした。

主馬が帰ってから、まもなく、村田がまた旅へ出た。畑の植物分布の踏査で、信濃から越後の南部まで、まわるのだという。供を二人つれていったが、別れに来たとき、いつもの静かな口ぶりで、——頼むよ。と云い、じっとこちらの眼を見た。

薬用の苗根や種子を送るから、そのときは頼むという意味だろう、半之助は頷いたが、どうにもいい顔はできなかった。

——一年くらい帰れないかもしれない。

村田はそう云って、立っていった。

「これでようやく、自分ひとりになれる」

駒場へ移った日に、半之助はほっとした気持で、そう呟《つぶや》いた。そして、退屈ではあるがしずかな、おちついた生活が、始まった。

そこは上目黒も、北の端《はず》れに近く、赤坂御門から西へ、一里何十町かいった、大山街道の右がわにあった。宮益坂《みやますざか》という処《ところ》までは、とぎれとぎれながら、町家や武家屋敷もあるが、坂をおりて、赤羽川の上流に当る小さな川を越すと、もうまったく武蔵野のけしきになる。……どちらを眺めても、なだらかな丘の起伏が延び、雑木林や、草原や、耕地のあちらこちらに、防風林に囲まれた農家や、神社や寺の、こんもりと暗い森が、古めかしく、ひっそりと見えるばかりだった。

薬園は八千坪ばかりの広さで、街道から少し離れた処にあり、周囲に木の柵《さく》がめぐらせてあった。

新しいこけら葺《ぶ》きの建物が三棟、物置、厩《うまや》などがあり、栽培地は、丘と、斜面と、沼でもあったらしい湿地と、そして建物の西がわの平地とに縄張《なわば》りがされ、しきりに土を鋤《す》き返しているところだった。

半之助の住居は「お小屋」という一棟で、松林と竹藪《たけやぶ》に囲まれ、北がわに迫っている丘の中腹から、筧《かけひ》でひいた水が、台所と縁先とに、絶えず爽《さわ》やかに溢《あふ》れていた。

お小屋には、村野市造という、中年者の下役と、小者が三人いた。

もう一棟には、小石川御薬園からまわされて来た、植木職人たち五人が住み、他の一棟には、二頭の馬の世話をする小者と、栽地の力仕事をする人足が五人いた。

もともと此処は、小石川の分園として設けられたもので（やがては全部を移す筈であったが実現しなかった)、半之助は此処の支配であると同時に、薬園奉行所の「見廻り」という役名をも兼ねていた。尤《もつと》もこれは、定期に小石川へ報告に出頭する責任を持つことであるが、まだじっさいに仕事が始まっていないので、当分はその必要がなかったわけである。

村野市造は四十五六であろう、吹上に御薬園のあった頃《ころ》から、その仕事をしていたそうで、口かずは少ないが、その方面のことには詳しかった。日にやけた、顔の小さな、猫背の、年よりは老《ふ》けてみえる人がらで、酒がなにより好物だと云った。

「家内と子供が五人おりますので、こちらへまいると御役料を頂けるのですが、なかなか酒までは手が届きません」

夕食に酒をつけてやると、そんなふうに云いながら、さも貴重そうに、盃《さかずき》のふちを舐《な》めるように啜《すす》るのであった。

「なあに、私がすっかり引受けます、貴方《あなた》に世話はかけません、ただ見ていて下さればようございます」

酔うと朴訥《ぼくとつ》な調子で、よくそんなふうに云った。

「草木などというやつも、人間の子供たちと同じでしてな、絶えず眼のたまをむいていなければならぬやつと、そっぽを向いて、知らん顔をしているほうがいいやつとあります、可愛《かわい》いのもあれば、憎らしいのもあります、そこはまあ面白いもんですが、しかし、しょせん、お若い貴方などにはな、なんといっても……」

村野の酒は一合五勺《しゃく》がせいぜいで、殆んどその量を越すことはなかった。

その年は、梅雨あけから照り続けで、秋の豊作はまちがいなし、といわれていた。天文方では早くから、秋ぐちに淋雨《りんう》が来る、と予告していたそうであるが、その予告を証明するかのように、半之助が駒場へ移った翌日から、にわかに気温が下り、じめじめする陰気な雨が降りだして、それが三日五日と続き、いつあがるけしきもなかった。

ちょうど七日めの午後に、思いがけなく正木重兵衛が訪ねて来た。

「まさしく陣中みまいだ、この恰好《かっこう》を見て下さい」

彼は雨具をぬぎながら、草鞋《わらじ》ばきの、脛《すね》まで泥《どろ》まみれになった足を見せた。

「およそこうだろうと、見当はつけて来たんだが、まさかこれほどとは思わなかったね、大山街道だなんて、しゃれたようなことをいって、道もくそもありゃあしない、まるっきり泥の海を泳ぐようなものさ」

「なんだってまたこんな降るなかを」

「悪かったですな、降るなかを来たりなんぞして、まあ足を洗わして貰いましょう」

彼は非番を利用して来たのだそうで、その晩は泊っていった。例のとおり、話題をひとやま背負って来た、という感じで、数日まえ、将軍が柳沢邸へわたられ、そこでたちくらみのような発作を起こし（絶対秘密になっているが）、たいへんな騒ぎだったらしい。ということから始め、新鋳の十文銭が不評で、銀相場が狂いだしたとか、深川のなんとかいう僧が、金銅の地蔵を六躰《たい》造って、六カ所の寺に安置した、とか、聞くそばから忘れるようなことを、自分では昂奮《こうふん》して話し続け、ふと気がついて、「ああやりきれない、どうしてこうだろう」と首を振り、太息《といき》をつき、「少しは黙っていようと思うんだが、どうしてもべらべら饒舌《しゃべ》ってしまう、母に云わせると三つの年にひきつけてからこんなになったんだそうだが、ときに、こっちにはなにか面白い話はないかね」

そしてすぐにまた、次の話へ続くのであった。

夕食のあと、かなりおそくまで酒を飲み、さすがに舌がくたびれた、などと云って、もう夜半ちかい時刻に、夜具を並べて、横になった。が、しばらくすると、「ああそうだ、忘れていた」と重兵衛は枕《まくら》をぎしぎしいわせながら、「山村座の茶屋の、なをという女中が、心中をしたのを知っているかね」

「——なをが、どうしたって」

「心中をしたんだよ」

半之助は寝返った。

「おかしなことを云うね、だってあれは、板前のなんとかいう男と、結婚することになっていたんだろう、それであの日は、おれたちが祝儀までやったじゃないか」

「そうなんだがね、じっさいはあのときもう、心中するつもりになっていたらしい」

重兵衛は眠そうな、熱のない調子で云った。

「あの女中には亭主があったんだ、やくざな男だったらしい、人を斬《き》るかどうかして、牢舎《ろうや》へ入れられていた、それが幾たびかの大赦で、出獄することになったんだな、……ところが、こっちは板前とできていたわけさ」

二

重兵衛もあまり詳細なことは知らなかった。なをには寝たきりの父があり、弟妹が四人と、自分の子もいた。母も土工などに出て、なをの稼《かせ》ぎと両方で、辛《かろ》うじて一家が粥《かゆ》を啜る、という生活だったという。

板前の男は、なをに同情し、それが恋になった、なをにも初めての恋で、どちらも温和《おとな》しい、ひっこみ思案の性分だけに、おもてには出さなかったが、ずいぶんつきつめた仲だったらしい。出獄して来る亭主は、人を斬ったりするような男で、なにをするかわからない。母や弟妹や、寝たきりの父や、小さな子を捨てて、二人だけで逃げるほどの勇気は、かれらにはなかった。

「結局のところ、そうするよりしかたがなかったんだろう、われわれが祝ってやった日からつい二三日して、上げ潮どきに裏の三十間堀へ、身を投げたんだそうだ」

こう云って、重兵衛は大きな欠伸《あくび》をした。

「死躰を引取りに来た母親も、隙《すき》をみて、身を投げようとしたというがね、……なを、その板前という男もそうだが、貧しい人間というやつは、生きることにこらえ性がない、すぐ閉口して死ぬにはびっくりするよ」

彼はまもなく眠ったが、半之助はなかなか寝つけなかった。板屋根を打つ雨の音を聞きながら、かなりながいこと、じっと天床《てんじょう》を眺めていた。

正木は朝食のあと、少し話して帰った。

「また折をみて来るよ、但《ただ》し秋晴れになってからだ」

「むりに来ることはないさ」

「むりにも来るよ、こんどは松室もつれてね、ひとつ松茸《まつたけ》の汁で栗飯《くりめし》でも食わせて貰《もら》おう」

気持の沈む日が続いた。

雨はいっときもやまないので、外へ出ることもできず、村野が相手では、話のたねもなかった。そのうえ、心中したなをのことが、いつまでも頭にしみついていて、ふとすると、眉《まゆ》をしかめるほど、心の痛むことがあった。

あの日、なをは陽気で、嬉《うれ》しそうで、人が変ったようにはしゃいでいた。半之助に問いかけられて、男のことを話して、

――あらごめんなさい。

手放しでのろけたりして、などと云って赤くなった。いかにも幸福そうであったが、いまから思い返すと、それは死ぬ覚悟をきめた者の、絶望の仮面であったのだ。

「――可哀《かわい》そうに」

半之助は幾たびも、そっと、こう呟いた。

六月の集まりのときに、思いつめたような顔つきで、相談したいことがある、と云った。あのときすでに、亭主の出獄することが、わかっていたのであろう。だが、やはり云いだすことができなかった。病気で寝たきりの父、四人の弟や妹、半之助には夢にも思い及ばなかったが、自分の子もあったという。母が女の身で人夫をし、なをの稼ぎと合わせて、かつかつの暮しをしていた。

こういうなかで、愛する者ができた。温和しい、いい人です、と云ったが、おそらくそのとおりだったろう。二人は結婚し、貧しくはあるが、温かくつつましい暮しができたかもしれない。しかし、そこへ亭主が、牢舎から出て来ることになった。

「——可哀そうに」

その知らせを聞いたときの、なをや、なをの男の、途方にくれたありさまが、半之助には見えるようであった。

——だが可哀そうなのは、なをたちには限らない。

半之助はまたこう思った。仮に、なをに勇気があり、家族を捨てて、その男とどこかへ逃げたとしよう。新しい結婚は、いっとき二人を幸福にするかもしれない。しかしそれは短い期間のことだ、のがれることのできない、きびしい生活のくびきのなかでは、どんな愛情も傷つかずにはいないし、お互いに飽きるほうがもっと早いかもしれない。

男は、なをの過去に悩まされるだろう、また彼女のために自分の生涯《しょうがい》を誤ったという考えで、なをを憎むように、なりはしないか。……なをはなをで、捨てて来た家族のために、自分を呪《のろ》い、男を恨むように、ならないであろうか。

――やがて子が生れ、絶えまなしに追われる生活に疲れて、いっそあのとき、死んでしまえばよかった、というときが来る、いつか必ず、そうなるに違いない。

半之助は市中の人たちの、じっさいの暮しぶりはよく知らなかった。けれども、そこに起こる日々の、胸の痛むような、悲惨な出来ごとや、欺瞞《ぎまん》と強欲と狡猾《こうかつ》のために、いつも抑えつけられ、踏みにじられている、無知や愚鈍の哀《かな》しさは、飽きるほど見もし聞きもしている。

自分の身のまわりでも同じことだった。

武家のなかでも、かたちこそ違うが、権力や名声のための、醜い諍《あらそ》いが絶えないし、もっとも多数の、身分の低い者たちは、侍として最低の外聞を保つことにさえ、苦しんでいた。

――なんのために生きているのだろう。

身ぢかな人たちの、ただあくせくと、その日の暮しに追われているさまを見るたびに、半之助は殆《ほと》んど呻《うめ》きたくなるくらいに、こう思った。

――あんなふうに生きていて、なにが楽しいのだろう、これからさきどうしようというのだろう。

権勢や名誉や物欲のために、恥を忘れて狂奔し、やっきとなって卑劣な術策を弄《ろう》する人たちにも、彼は同じことを問いかけたかった。

——それで満足ですか、その富や名や権力が、あなたを本当に幸福にしていますか、これは間違った、こんな筈《はず》ではなかった、と思うようなことはありませんか。どこかで間違っている。

これは人間が本来そうあるべき状態ではない。どこかで道を踏み誤って、とんでもない方向へ来てしまったのだ。

現在の社会のもっている矛盾や、反人間的な多くの要素は、もうやりなおすこともできないし、抑制することもできない。剪定《せんてい》をしない果樹が、そのまま実を付けるだけ付けて、やがてその重みのために自ら折れるように、人間の組立てている社会も、その矛盾と反人間性のために、このままでは、破滅するところまでゆくに違いない。

——人間として、本来そうあるべき生き方に、かえらなければならない。

——人間に生れてきた甲斐《かい》のある、人間らしい生き方に。

またしてもそう思う、それはまるで、誰かが、どこかから、彼に向って呼びかけるかのようである。

——間違いだ、そんなことをしていてなんになる、早くこっちへ来い、早く、早く。

三

半之助は頭を振る。

——人間は特別な存在じゃない、他の多くの動物や植物や昆虫《こんちゅう》と同じものだ、生殖本能のほかに、思考能力がある、というだけの違いだ、その能力のために、いっそう反自然で、邪悪だというだけだ。

しかしこう思うあとから、その絶望を押しのけて、あの声が彼を誘いだそうとする。——そうではない、人間は無意味に生れて来たのではない、現実はいま誤った方向へ動いているが、その支配からぬけだして、本来の生き方にかえれば、充実した意義のある人生を、摑《つか》むことができる。

たしかに、それはひとつの呼び声のようであった。その声は、ときをおいて、彼に呼びかけ、どこかへ、(人間らしい生活のほうへ) 彼をいざない、招きよせるように、思えるのであった。

「村野さん、またひと口やりますか」

半之助は毎晩、浮かない調子で、そう云うようになった。

その日。彼はぐったりした、疲れたような気持で、ぼんやりと窓の外を眺めていた。

机の上には、新井白石の「東雅」が披《ひろ》げてある。覚書を取るための、筆や紙も出してあるが、その筆写本の頁《ページ》は、まだ三枚と進んではいなかった。

窓の外には、若い赤松の林を越して、鋤《す》き返された土の、黒ぐろと新しい、柔らかそうな栽地が見え、そこからなだらかな丘になって、丘の上の雑木林と、伐《き》り残された一本の大きな松が見えた。

「そうだ、なをは死ぬほうがよかった」

梅雨のように、じめじめと陰気な、こまかい雨が、赤松を濡《ぬ》らし、栽地の土を濡らし、丘の斜面を、雑木林を、松の喬木《きようぼく》を濡らしている。彼は放心したように、その鼠《ねずみ》色《いろ》に沈んだ眺めを見やりながら、呟いた。

「少なくとも二人は愛しあったままで、ぴったり心を寄せあったままで、死ぬことができたであろう、あふれるような緊張と、充実感と、よろこびを味わいながら」

生きていれば、いずれにせよ条件の支配を受けなければならない。死ぬことは二人にとって、むしろひとつの完成であった。

どんな連想作用からであるか、そのとき半之助は叔父のことを思いだした。

母親があり、妻子のある家庭をよそに、遠藤兵庫は「かんば沢」に憑《つ》かれ、ついにそこで自分の存在をかき消した。妻に不貞があったからか。それだけなら、解決する法があった筈だ。甲府勤番にまわされたのは、道楽が祟《たた》ったのだといわれる。どの程度のものかわからないけれども、左遷《させん》されるほどの道楽と、妻の不貞とで、叔父は世間や人間の裏おもてを知り、都会生活に厭気《いやけ》がさしたであろう。そして、こういう状態を打破し、改善するより、そこから逃げだしたくなったに、相違ない。甲府へゆくことは、新しい生活を始めることであったが、そこで「かんば沢」という、思いがけないものに、捉《つか》まってしまった。

——叔父は捉まった。

完全に兵庫は捉まった。うろ覚えではあるが、下僕の孫七の話によると、かんば沢に惹《ひ》かれる叔父のようすは、非常識で、殆んど錯乱にちかいものが、あったようだ。

「いったいなにがそんなに、叔父を惹きつけたのか」

半之助はこう呟いて、自分の声にびっくりして、思わず坐《すわ》りなおした。それから、古びて脆《もろ》くなった糸の玉を、大事にそっと解きほぐすかのように、彼は、叔父についての記憶を、できるだけこまかに思いだしてみた。

聞いたのは子供のときのことだし、断片的で、まとまりがなく、ただ漠然《ばくぜん》とした恐ろしさ、きみの悪い妖《あや》しさ、といった印象だけが、はっきりと残っていた。深夜に甲冑《かっ》武者《ちゅうむしゃ》の亡霊が行列したとか、狸《たぬき》の談合場とか、そばへ寄るものはなんでもひき込む椹ケ池《さわらがいけ》とか、……そして人を入れることをゆるさず、入ってゆく者は生きて帰れない「かんば沢」など。当時それを聞いたときの、強烈な感動は（いま思うとばかげているが）かなりはっきり思いだすことができた。

「しかし、叔父がとり憑かれたのは、そんな怪異に対してではないだろう」

それは孫七の話のなかに、暗示があるようだ。

兵庫は秘密の公務を帯びて、甘利郷へ探査にでかけた。そういう例はその以前にもあったが、出張した者はそのまま帰らないし、帰った者は白痴のようになって、まもなく死んだ、ということである。兵庫は初めのときかんば沢で消息を絶ち、五十日ほどして戻って来たが、だいぶようすが変っていた。公務の報告もできないようなぐあいで、休養を命ぜられたのであるが、二回めに、とつぜん家から出奔した。

そのときも自分でふらりと帰って来たが、こんどはまるで病者のようになり、軀《からだ》もひどく弱っていたが、極めて奇怪な言動が多くなった。

なかでも忘れられないのは、叔父が孫七に向って、

――これからは自分が外へ出ないように、注意していて呉れ、どんなことがあっても外へ出さないように。

と云い、さらに、もし必要なときは、自分を縛りつけてもいい、とまで云ったこと

である。……なにかが兵庫を惹きつけていたのだ。このばあい、なにかが、というのは「かんば沢」よりほかにないが、もちろん地理的な意味だけではない、そこになにかがあって、自分で自分を制御できないほどにも、強く兵庫を惹きつけていたのである。

孫七は、本当にその主人を、縛りつけなければならなかったこともある、と云った。それほどその執着は激しく、狂的なものであった。そして、やがてまた家をとびだし、ついに行方知れずになったのである。そしてかんば沢へはいった、ということは慥《たし》からしいが、そのほかのすべては不明のまま、死躰《したい》さえ発見することができなかった。

「なにかがあった」半之助は、こう呟きながら、雨雲の低く垂れた空を見あげた、「しかも尋常なものではない、叔父はそれを恐れた、それに惹かれる自分をも恐れた、たぶん、そこへゆけば自分が破滅することを知っていたのであろう、にも拘《かかわ》らず、やはりそこへゆかずにはいられなかった」

どこかへずるずると、ひき込まれるような気持で、しばらく空を見まもっていた半之助は、やがて立って、叔父の遺品の包を取りに、納戸へはいっていった。

四

それからまる三日、彼は叔父の遺したものを、たんねんに読み耽《ふけ》った。

雨は少しもやまず、低い湿地のほうは、池のように水が溜《た》まり、きれいに鋤き返した斜面の土は、端から崩れだして、土止めをしても防ぎきれなくなった。村野市造は、小者や人足をさしずして、しきりに水排《みずは》けのくふうをしていたが、土地が柔らかいのと、雨がやまないのとで、結局どうにもならなくなったらしい。

「これではもうしようがない、雨でもあがったらやり直すとしよう」

そんなことを云うのが聞えた。

半之助は殆んど部屋から出なかった。夜もおそくまで、灯をかきたてて、読んだり、覚書をとったりしていた。

地　図　二枚

見聞記　二冊

日　記　三冊

「みどう清左衛門に関する調書」一冊

油紙の包の中にはこれだけあった。そのうち必要なのは、甘利郷の略図と、みどう家に関する調書であるが、初め披《ひら》いてみるうち、まず眼をひかれたのは、黒い菱形《ひしがた》を三つ集めた、家紋の写しであった。

——これだった。

半之助は殆んど声をあげそうになった。山村座の茶屋で見た、あの半挿《はんぞう》の蒔絵《まきえ》の紋。丸茂の家の釘隠《くぎかく》しの金具。どちらも同じであり、どこかで見覚えがあると思ったが、それは、十六歳のときに、この調書を見た記憶が残っていたのである。

——すると、この三つの関係はどうなるのだろう。

甘利郷のみどう家と、江戸で見たものとは、直接につながりをもっているのだろうか。さらにもう一つある。青山主馬の話によると、慶安事件に資金を提供した、不明の後援者の家紋も同一であったというが、それもここに関係があるのだろうか。

しかしこれらの疑問は、半之助の「かんば沢」に対する興味を、かくべつ強めるものではなかった。

なぜなら、叔父を狂気の如《ごと》く惹きつけたのは、そういう政治的な秘密に属したものではない筈である。そのことは「調書」を読んでみても、はっきりとわかった。叔父が「みどう家」を探査にでかけたのは、初めは甲府城代の意志であったらしい。記録の冒頭の部分に、その報告のために書く、という意味が記されてある。そして、その書きだしのなかで、

甘利郷の土着民は、表に従順をよそおっているが、じつは極端に排他的で、よそか

ら入って来る者には、決して宿を与えないし、野宿をするにしても、あらゆる隙《すき》を覘《ねら》って、危害を加えようとする。

という記述がある。叔父は売薬商人に俏《やつ》していったのだが、どの家でも泊めようとしなかったし、ふいに物蔭《ものかげ》から、石や棒切れを投げられたりした。要するに、探査は極めて困難であった、というのであるが、これはつまるところ、その探査に、「目的」のあることを示すのだが、記述はたちまち、その目的から離れて、異様な混乱と、意味の知れない、断片的なものにと、変ってゆくのであった。

だが、その調書からは、具体的なことは、ごく僅《わず》かしか把《つか》めなかった。

文章が混乱しているばかりではなく、むやみに消したり、細字の（判読のできない）書き込みがあったりして、要点を抜き書にしてみても、意味をなさないところが多かった。

半之助は、日記や見聞記をも照合しながら、幾たびも読み返し、ついには綴糸《とじいと》を切って、消してある部分を裏から見たりした。しかし辛うじて、

――伏岩は沢の窪《くぼ》の西を……。

――むささびの巣があって。

――槻ケ池の底には、……伝説の巨木が沈んでいるのが見え、……その周囲は……。

——暗がりから、危なく、またしてもあの。

——死地に入らずんば、運、生死は天命なり。

右のような、切れ切れの字句を、拾うことができただけであった。

つづめたところ、これらの手記からは、なにがそんなにも叔父を惹きつけたか、という理由を知ることはできなかった。ぜんたいを通じて眼につくのは、繰り返し、「かんば沢へ近よってはいけない」と警告していることである。

——それは云い伝えられているよりも、はるかに大きな、決定的な危険がともなう。

そんなふうに、強い調子で、いやになるほど執拗《しつよう》に、書いていることであった。その他のことは、どう読んでも、統一した意味がつかめない。漠然とした恐怖感、謎《なぞ》めいた危険の暗示、しかも断ちがたい異様な執着。そういったものが、脈絡もなく繰り返してあるだけだった。

半之助はやがて、その調書を投げだした。

彼はおちつかなくなった。もう、村野と夕食を共にすることもなくなり、酒を飲もうとも云わなかった。

「なにを待ってるんだ、いつまでぐずぐずしているんだ」

そんなことを、とつぜん呟《つぶや》くことがあった。自分では意識しないで、そして、自分の呟きにびっくりしたように、慌《あわ》ててまわりを見やったりした。

明らかに、彼のなかでなにかが動きだしていた。それは外がわからきたものでなく、彼の内部に、深く、ながいこと眠っていたものであり、その時期が来て、にわかに、めざめだしたもののようであった。

——かんば沢。

今や、その名が、彼のなかでふくれあがり、彼を掴《つか》み、恐ろしいほどの力で、彼を誘惑した。その名は、彼の十歳のときに、妖しい強烈な印象を植えつけた。十四歳で叔父の失踪《しっそう》を聞いて以来、いつかしぜんと忘れていたが、じっさいにはそのあいだも、隠れた意識の底にあって、絶えず彼に呼びかけ、彼を支配しようとしていた、ともいえるようだ。

——かんば沢。

その名が今、活《い》き活きとよみがえってきた。すると、二十六歳の今日までの月日が、まったく意味のない、空なものに思え、少しも早く脱けだしたいという、激しい欲望にとらえられた。

「こんな生活はもうたくさんだ、これは人間の生活じゃあない」

気のめいるような雨の音を聞きながら、半之助は苛《いら》だたしげに呟いた。

「逃げだそう、早く、一日も早く……」

山鳩《やまばと》

一

甲州街道の上野原の駅に、千歳屋《ちとせや》伝右衛門という宿屋があった。

九月中旬の或《あ》る日、まだ八時ころのことだったが、七日まえから泊っていた村田平四郎が、採集物らしい草や、葉付きの木の枝などを、まわりにとりひろげ、机に向って、しきりにそれを写生していた。

右がわに、絵具を溶いた（宿の食器を利用したらしい）小皿を、八枚ほど置いて、線描が乾くと着彩するのであるが、線はたしかなものだし、色の合わせようも巧みなものであった。

廊下を足音が来て停り、障子の向うで「お客さまで、ございます」と女中の云うのが聞えた。

「新町さまと仰《おっ》しゃいます」

「ああ、とおして呉れ」

平四郎は、筆の尖《さき》を唇《くちびる》で揃《そろ》えながら答えた。

すぐに青山主馬が入って来た。新町とは彼の仮の名であろう、羽折も袴《はかま》も、乗馬用のものである。主馬は爽《さわ》やかな、緊張した、活気の溢《あふ》れるような顔つきで、つかつかと入って来て坐った。

「すぐ終るから、ちょっと……」平四郎は色筆を動かしながら、主馬のほうは見もしないで、云った。

「手紙は十日に貰いました、しかし今日こっちへ来たのは、いっしょにでかけるためじゃありません」

「――でかけないって」

平四郎は運筆をやめない、なにかの草の葉を、じつに入念に塗っている。

「これから関所で、ちょっとひと揉《も》みあるんですが、それが済んだら江戸へ戻ります」

平四郎はなにも云わなかった。彼はいつでも、相手に云うだけのことを云わせる。合槌《あいづち》を打つこともなければ、せきたてることもなかった。

「それというのが、なにか感づいたのでしょう、土屋侯が代表でいきり立ちましてね、旗本にして十日以上、江戸を離るる者は、老中連署の認証を要す、などという緊急特令を拵《こしら》えちまったんです、だから今すぐには動けないし、事情によると無届け脱出ということになるかもしれませんが、とにかくそういうわけで」

「どうしてまた、急にそんなことが……」

「口火になる事があったんです、安倍が出奔しましてね」

筆を停《と》めて、その姿勢のまま、平四郎が眼をあげた。

「――安倍が、どうしたって」

「とつぜん出奔したんです、先月の十五六日ごろなんですが、ふいと一つ木の家へ帰って、着替えの物や、金もだいぶ持ったらしいですが、そのまま駒場へは戻らず、どこかへいってしまったというわけです、なんのために、どこへいったんだか、誰にも云わず書置もないんで、しかし金も二百両ちかく持ち出しているし、着替えなんかも持って出たので、まさか自殺の心配はなかろうというんですが」

平四郎は筆を措《お》いて、眼を細くしながら、考えこんだ。

「駒場のほうは……」

「あっちもきちんと片つけてあって、用意のうえの出奔だということは明らかだといいます、私はいきませんでしたがね、その祟《たた》りがこっちへきて、かなりまずいことになりました」

幕府の法規では、「旗本」の身分関係について、いろいろ厳しい定めがあり、その一に、特に重要な役目でもない限り、江戸を離れてはならない。という箇条があった。もちろん法規の常で、相当ぬけみちもあったろうが、かなりな程度まで、重んじられていたことは、慥からしい。

半之助の出奔は、柳沢系の幹部に、いい口実を与えた。かれらは、反柳沢派の動きを、かなり綿密に探知していた。少なくとも、そう思われる根拠は幾つかあった。主馬は（まだ必要がないので）云わないが、平四郎の出張についても、土屋相模守から、寺社奉行に対して、相当つよい抗議が出たもようである。

——植物分布などは、その地の役人に調査申告を求めればよい、特に出張するほど重要なことでもないし、隣接する外様《とざま》諸侯に、隠密の疑いをいだかせる危険もある。

こういうことだったという。

「そうかといって、首をすくめているわけにもいかない、というのがですね」主馬は続けた。

「将軍家が御病臥《ごびょうが》で、柳沢邸で倒れて以来なんですが、どうも御容態が思わしくないらしい、そのためにかれらはひどく焦《あせ》りだしたんでしょうな、だいぶ人や荷駄《にだ》を甲府へ送り始めたんです、今日もその荷駄の一つが此処《ここ》を通るんで、そいつを検査することになってるんですよ」

行列は長持五棹《さお》に、鉄櫃《てつびつ》が三棹、馬はからしりを合わせて十五頭。これだけの荷物に、二十人の侍と小者人足で、一昨日の朝、江戸を立った。その日は八王子泊り、昨夜は吉野宿《じゅく》で泊って、今日こっちへ来るというのである。

「荷物は将軍家からの恩賜《おんし》品という名目で、柳沢美濃守と、土屋相模守はじめ老中連署の証札を立てています、情報によると、中身はたしかに鉄炮《てっぽう》らしい、というんですよ、こいつをね、関所で押えて、それにはちょっとした手を使いますが、中を調べたうえ、鉄炮だったらそのまま江戸へ持ってゆこう、というわけです」

関所の役人にはしかじか、万一のばあいの手配はかくかく。主馬が熱心に話しているあいだ、平四郎は正坐したまま、眼を細めて、とぼんとどこかを見まもっていた。そうして、主馬の話が、終ると、放心したような声で、「可哀《かわい》そうに、どうしたんだろう、どこへいったんだろう」

こう呟いた。

主馬はどきっとした。もちろん半之助のことを云ったのであろうが、その呟きにこもったしみいるような調子は、日ごろ感情を表わすことの少ない平四郎にしては、例のないものであった。しかしすぐに、彼は主馬へふり向いて、「その関所の検査というのは、立会わなくてはいけないね」

「できたら来て貰《もら》いたいんですがね」

「その必要はあるまいと思うけれど」

こう云いながら、平四郎は支度をするために立った。

関所は、上野原から江戸のほうへ戻って、関野という宿《しゅく》の手前にある。そこは武蔵と甲斐のあいだへ、僅かに相模《さがみ》のくにが頭を出している処《ところ》で、相州代官の管轄《かんかつ》になっていた。

関所の見えるところまで来たとき、「やあ、もう着いてるぞ」と主馬が云った。

「裏から入りましょう」

二

二人は関屋の裏から入り、脇《わき》の廊下を、対問所の横の、杉戸口へと出た。

当時は関所の構えも厳重で、柵《さく》や木戸なども太い丸太で結いあげ、事があれば、充分ひと合戦できるように、造ってあった。また槍《やり》や、さすまた、袖搦《そでがら》み、などという道具のほかに、鉄炮が（関所の格によって数の差はあるが）並べてあり、これはその係りの者がいて、中の一挺《ちょう》だけはつねに弾丸を充塡《じゅうてん》し、いつでも火縄《ひなわ》がかけられるようになっていた。もちろん形式だけのことで、どこまで実行されていたかは疑わしい。それから、関所通行でもっとも厳しかったのは、よく知られているとおり、江戸から地方へ出る女性と、鉄炮とであった。特に後者は、それが鉄炮であること、を表示し、幕府老中の認証がなければ、親藩であっても重く罰せられた。

今そこでは、前に記した柳沢家の荷駄が、検問されていた。

此処は関屋のうしろが丘陵、前がすぐ桂川に沿った、崖《がけ》の上の一筋道で要害としてはかなりな位置にある。与力一人、同心六人、小者十人、という定員のほかに、ものものしく身拵えをして、棒を持った足軽が十人いるが、これは主馬が八王子の「千人同心組」から（もちろん反柳沢派の閣老から連絡があってのことだが）、つれて来たものであった。

関守は小橋甚兵衛《じんべえ》という与力で、これと問答しているのは、次高来太であった。

「これは、これは」

杉戸口から覗《のぞ》いて、主馬が低いおどろきの声をあげた。

「みじん流の先生がいるとは思わなかった」

平四郎は黙っていた。そこで主馬は、次高来太が、正しくは柳沢の家臣でないこと、みじん流の剣術では相当なものらしいが、単に扶持《ふち》されている用心棒にすぎない、ということを説明した。

「そんなばかな理屈があるか」

来太は太くて短い眉《まゆ》をぴくぴくさせ、色の黒い、頬骨《ほおぼね》の出た顔で、相手を威《おど》しつけるように、甲高にどなりたてた。

「御大老が甲府城へわたられてから、御使者や荷駄がこの道を往復しない日はない、といってもいいだろう、まして今年になってからは、お城を修築するために、多くの荷駄が甲府へ送られている、そうではないか」

「自分はこの月こちらへ着任したばかりで、そういうことはまだ知らない」

小橋与力は冷やかに答えた。しかし、その態度はあまり強硬ではないし、またそれほど自信もないようにみえた。

「知らなければ覚えるがいい」来太は云った、「従来の例はべつにしても、このとおり特に御老中の墨印を押した、認証札を掲げている、検察を受けるような理由はない筈《はず》であるし、御大老柳沢家の面目にかけても、さような不当な処置は絶対に承知ができない」

「そう云われても、自分は関守であるし、急の使者でそう命ぜられたのであるから」

「急の使者……」来太は眼を三角にした、「というと、この荷駄に限って取調べろ、という意味か」

「それは、いずれとも……」

小橋与力は口ごもった。

関所に対する急使、となると、だいたい非常のばあいだろうから、内容を話すことなどは、もちろんできない。また関所はその管轄の領主、代官などに属するので、その急使がどこから出たものか、ということにも問題が関《かか》わってくる。小橋与力が云いよどむのをみて、次高来太はするどく追求した。

「もしこの荷駄に限って、検察せよという命令があったとすれば、それは断じて聞きのがせない、それは政治的な陰謀だ、その命令がどこから、なに者によって出されたか聞かせて貰おう」

「無法なことを云う」

「無法はそっちだ」

すでに来太は、相手の確信のゆるぎだしたのを、見てとった。

「小仏《こぼとけ》の関所ではなんの故障もなかった、道中規則はちゃんと守っている、大老柳沢侯の荷駄である、しかもこの関所に至って、急に検察の命令が来たとなると、その理由や出所を訊《き》くのは当然ではないか」

「しかしそれは、この荷駄に限って、というわけではないので」

「まぎらわしいことを云うな、そこもとはこの関所の関守であろう」来太は喚《わめ》きだした、「しだいによっては江戸へ戻り、老中、大目付へ訴えて出る、その急使の出どころと、出した者の名を聞こう、それまでは断じてここを動かんぞ」

一般的にいって、不正なことをする人間ほど、威たけだかで、堂々として、正義派めいた口をきくようである。来太の舌鋒《ぜっぽう》も、その圧迫的な姿勢も、そういう種類のものに、かなり似かよっていた。

明らかに、小橋甚兵衛は当惑していた。

できることなら、相手の要求に応じたであろう。しかし、それは不可能であった。その荷駄を検問せよ、ということは、きょう初めて会う青山主馬の通達であった。主馬は「遠国鉄炮改《おんごくてっぽうあらため》」役、仙石《せんごく》丹波守の符札を示して、その旨を伝えた。

小橋与力はもちろん主馬を知らない。もしも主馬が身分を偽り、符札が贋《にせ》であるとしたら、相手が柳沢侯の荷駄であるし、関守としては重大な責任問題となる。小橋甚兵衛は役人であった。役人というものは、由来そのことがおのれの利益とならない限り、できるだけ責任を回避する習性がある。なかんずく強権に対しては。……杉戸口から覗いていた主馬は、今や小橋与力の腰が折れるのを認めた。

「これはいけない、押切られてしまう」

彼は平四郎を見た。

「どうしよう、私はあのみじん流に顔を知られている、私ではまずいんだが、あの関守は降参しますよ」

「私が出てみようか」

「ぜひひとつ、ぜひどうか」主馬は手早くなにかを渡した、「遠国鉄炮改役、仙石丹波守殿の符札です」

平四郎は受取って、ふところへ入れながら、対問所の縁側へ出ていった。

主馬は手をこすった。長いことつきあっているが、平四郎の性質はまだよくわからない、少なくとも安倍半之助ほどには、――しかし今こそわかるだろう、どれだけの胆力と才知をもっているか。主馬はもういちど、手をこすり合せた。

対問所の沓脱《くつぬぎ》までおりた平四郎は、そこにいる同心の一人に、耳うちをした。

「鉄炮に火縄をかけろ」

こう云ったのである。

むろん誰にも聞えなかった。耳うちをされた同心は、すぐその担当者に伝えたが、平四郎は次高来太に呼びかけていた。すぐにではない、まず小橋与力に会釈《えしゃく》し、与力が（また新しい人物の現われたことに）吃驚《びっくり》して、眼をしばしばさせているうち、来太のほうへおもむろに向きなおった。

「いま控えで聞いていると、しきりに御大老ということを云っておられたが、御大老とは誰をさすのですか」

「御大老が誰をさすかって」来太は歯を剝《む》いた、「いったい貴公はなんだ」

平四郎は黙って相手を見た。呼吸五つばかりのあいだ、上から見おろすように、なんの表情もなく見まもった。それから、穏やかに云った。

「関役人に対しては、言葉を慎んで答えて下さい、そこもとのいう御大老とは、誰びとをさすのですか」

「云うまでもない、柳沢美濃守さまだ」

「それはおかしい、なにかの間違いではないか」

口ぶりは穏やかであるが、その調子には重さと力がこもっていた。眼はまっすぐに相手を見たまま、平四郎はゆっくりと云った。

「元禄十三年三月、井伊侯が辞任されて以来、大老に仰《おお》せつけられた人のあることを聞かない、柳沢侯は元禄十一年、老中首席に仰せつけられたが、決して大老ではない筈だ、いつ大老に仰せつけられたか、聞きましょう」

「それは、そんなことは」来太の喉《のど》がごくっと鳴った、「つまり柳沢侯は、御家門に列せられ、御諱字《おんいみなじ》を頂き、要するに誰でも御大老と」

「誰でも、……というのは」

「誰でもとは誰でもだ、柳沢美濃守さまが御大老だということは、武鑑などにも記載してあるし、世間一般の常識として」

「巷間《こうかん》の板行物や世評を聞いているのではない、改めて申すが、柳沢侯は老中首席であって、大老ではないのだ」

来太は歯をくいしばった。これまで「大老」でとおってきたが、正式に任官したのではなく、一般が、その大きな権勢に、おもねる呼称だった。しぜんひらきなおって詰問《きつもん》されると、抗弁する余地はなかったのである。

「次に訊《たず》ねるが、そこもとは柳沢家においていかなる身分であるか、また役名、食禄《しょくろく》などはいかがであるか、うかがいたい」

平四郎は憎いほど静かに、そして無表情に、問いをすすめた。

「自分は柳沢家の家臣である」

「それはわかっています」

「柳沢家の、この荷駄の……」

来太はつまった。そして、屈辱のために逆上した。

「ええ、こんなばかなことがあるか、いったい貴公の不審はなんだ、この荷駄か、それともこのおれか、関守には関守の権限がある筈だ、まずそれから聞こうではないか、貴公の不審はどっちだ」

平四郎はうしろへ、右のほうへ、ゆっくりとふり向いた。飾り道具の脇に、同心の一人が、火縄をかけた鉄炮を持って、こちらを見ている。平四郎はそれを慥《たし》かめてから、「自分はこういう者だ」

ふところから、符札を出して、はっきり相手に見せて、そして云った。

「こんど江戸から、大量の鉄炮をはこび出す者がある、ということで、急に街道街道の検問を命ぜられた、関役人の権限ではなく、公儀じきじき、鉄炮改役からの出張《でばり》です、それでも荷駄は改めさせぬ、とお云いなさるか」

来太は噛《か》みつきそうな顔をしたが、即座になんとも云うことはできなかった。平四郎は小橋与力を見、同心たちに手をあげた。

「その馬と荷駄を木戸の外へ曳《ひ》き出せ、人はそのまま、片寄っておれ」

棒を持った十人の足軽が、迅速に、来太をはじめ柳沢家の人数二十人ばかりを、ちょうど柵のように、横にした棒でとり囲み、ひとところに片寄らせた。同心たちは荷駄と、からしり十五頭の馬を、木戸の外へと曳きだした。

すると、あとに駕《かご》がひとつ残った。

「あの駕は」

「病人です」

来太の脇にいた侍が答えた。平四郎はふり返って、中をあらためたか、と訊いた。同心の一人が、はあと云って、小橋甚兵衛の顔を見た。平四郎は手で、さっと駕をさした。

「駕はいま見せたばかりではないか」

来太が喚いた。病人などの駕は、戸をあけて見せるだけが、習慣だったらしい。だが、平四郎の手ぶりは強硬な意味をもっていた。

二人の同心が、駕に近より、その戸をあけようとした。ちょうどそのとき、その戸が、中からあいて、履物を出して、一人の女が、すっと外へ出て、立った。

登世であった。

小橋与力や同心たちはいうまでもなく、来太とその同行者たちも、それぞれの立場で、あっと息をのんだ。しかし、もっとも驚いたのは、杉戸口から覗いていた、青山主馬であったかもしれない。

「あなたの云うとおりですよ」

登世はまっすぐに平四郎を見て、帯のあいだから小扇を出し、それを半ばひらいて、

（次高来太になにか合図をしながら）云った。

「これは柳沢さまの荷駄ではありません、お見込みどおりにせものです、向うの長持に入っているのは鉄炮です、それで、どうなさいますか」

来太は登世の合図を見た。東から、この関所の木戸へ向って、騎馬一人、徒士《かち》七人ばかりの、侍たちが近づいて来た。その先頭は、すでに木戸にかかっている、そして、馬上にいるのは、菱屋庄兵衛であった。

かれらは早くも、木戸の中の、徒《ただ》ならぬようすを認めたのだろう。来太が見たときは、すでに、庄兵衛は馬上で弓を構え、一の矢をつがえていた。

「邪魔だ、どけ」来太が叫んだ。平四郎は片手をあげたが、来太は叫ぶと同時に刀を抜いて、とり囲んでいた足軽たちの輪へ、おどりかかった。鉄炮を持った同心が、来太を覘《ねら》い、足軽たちがばらばらと散って、切迫した殺気が、柵の中いっぱいにひろがった。

三

手をあげながら、村田平四郎は叫んだのである。

「やめろ、しずまれ」

だがそのときは、次高来太が足軽の一人にみね打ちを入れ、他の一人の棒を半ばから切り放して、前へおどり出していた。さすがにみごとな、冴《さ》えた太刀さばきである。

彼のまわりにいた、柳沢家の侍たちも、抜きつれ、小者も木刀を取りなおした。

小橋与力は、(平四郎の声が聞えなかったらしい)かなり狼狽《ろうばい》ぎみに、鉄炮を構えている同心に向って、射《う》てと命じ、自分は抜刀して、崩れたつ足軽たちのほうへ、とびだそうとした。

そのとき、——来太に覘いをつけた同心は、まさに引金を引こうとしていたのであるが、東の木戸の外にいた菱屋庄兵衛が、馬上から彼に弓を射かけた。矢は糸を引くように、一文字に空を切って、同心の手にある鉄炮の、ちょうど撃鉄の下のあたりに、発止と当った。だーん、という銃声と共に、鉄炮は火と煙を噴いたが、銃口は脇へそれていた。

以上の出来ごとは、殆《ほと》ど瞬時に起こった。来太が絶叫して、とびかかってから、せいぜい呼吸三つか五つくらいの、短い時間だったろう。山にこだまする、大きな銃声で、敵も身方もはっと息をのんだ。

そのしんとした刹那《せつな》に、「しずまれ、刀をひけ」という平四郎の叫びが、高く、はっきりと聞えた。

「荷駄はとおってよい、しずまれ」

声はよく徹《とお》った。互いに抜き合い、まさに争闘が始まろうとする、そのでばなであった。平四郎の声に応じて、駕の前にいた登世もまた、小扇を振りながら制止した。

「次高さんおやめなさい」

そこへ、菱屋庄兵衛が、弓に二の矢をつがえたまま、静かに馬を（下郎に口を取らせて）乗り入れて来た。平四郎は両手をあげ、なお声いっぱいに、「仔細《しさい》はない、通ってよろしい」と叫んだ。

「どうしたのだ、なんだ次高」

「なに、もういい」

来太は庄兵衛にすばやく頷《うなず》いて、それからみんなに手を振りながら、平四郎の前へ近よっていった。

「たしかに通ってよいのか」

「念には及ばない」

「それならなんで」こう云いかけたが、来太は唾《つば》を吐き、刀にぬぐいをかけた、「——ばかな人騒がせをするものだ、どうせ通すなら、よけいな手間をかけなければいい、おい、みんなゆくぞ」

関役人や千人同心組の者たちは、すでに脇へ片寄っていた。

登世はするどい眼で、平四郎の顔をじっと見まもっていたが、来太が戻って来ると、すばやくなにか囁《ささや》き、そして駕の中へと入った。そのとき、関屋のうしろで、山鳩の鳴くのが、のどかに聞えた。それはまるで、驚破《すわ》という一瞬が、無事におさまったことを祝福するかのような、いかにものどかな声であったが、おそらく誰も気がつかなかったであろう。柳沢家の人たちは、西の木戸の外へ出て、荷駄の用意をととのえ、登世の駕もあがった。

来太は小橋与力のほうへいって、

「この先の関所で必要だ、同心をひとり証人に借りてゆくぞ」

と云った。小橋甚兵衛は平四郎を見た。平四郎は頷いた。そこで与力は部下の若い一人に、かれらと同行するように命じた。

菱屋庄兵衛は、(弓に矢をつがえたまま)次高来太と共に、最後まで木戸口に残っていたが、それもやがて、荷駄のあとを追って去ると、杉戸口から青山主馬が出て来た。

「どうしたんです、村田さん、あのままやっちまうつもりじゃないでしょうな」

「——そのほかにどうする」

「どうするって、だってあれだけの鉄炮を押えたのに」

「冗談じゃない」平四郎はにっと微笑した、「鉄炮の五十や百より、もっとすばらしい獲物があったじゃないか」

「へえ、……わかりませんね、なんです」

「あの女だよ」

主馬はまだ見当がつかないというふうに、首を傾《かし》げながら云った。

「あの女って、あれは築地の丸茂にいたやつでしょう、柳沢一派の秘密な寄り場になっていた……」

「それだけではないだろう、相当に多額な金をばら撒《ま》き、柳沢父子ともなにか話しあいをしている筈だ」

「——なるほど」

「——なるほどじゃない、その女が江戸をぬけ出して来たんですよ、さっき青山が云っていたような情勢のなかで、あのれんじゅうといっしょに、あれだけの荷駄を持って、しかも今のあの居直ったようすでは、再び江戸へ帰るつもりはないだろう」

「まあそうでしょうな」

「それならどこへゆくか、かれらと共に甲府城へ入るか、おそらくそうではないだろう、もちろん城と連絡はあるだろうが、どこかほかに自分の根拠をもっているんじゃないか」

　そこまで聞いて、主馬はあっと云った。

「すると……ことによるとあれが」

「そうみても不自然ではないだろう」

「不自然どころですか、そこに気のつかなかった私のほうがよっぽど」主馬は舌打ちをし、自分の頭を指でこづいた、「ええくそ、これほどぼんくらな頭とは知らなかった、これは頭じゃありませんね、こんなのはただ、うう」

「私はすぐでかけるからね」

　平四郎は杉戸口へ入りながら云った。

「青山はすぐ江戸へ帰って、私からの知らせを待っていて呉れ」

「貴方が自分で跟《つ》けるんですか」

「捜しに捜していた相手だからね」彼は珍しく確信ありげに云った、「それに、こんどの旅では当りをつけたこともあるんだ、きっといい知らせが出せると思うよ」

こだま

一

夜明けまえであった。

高い山ふところの、森に囲まれた、狭いはざまの岩蔭《いわかげ》で、半之助がいま炊《た》きあげた飯の鍋《なべ》をおろし、べつにしかけた味噌汁《みそしる》の鍋を火にかけた。

彼は筒袖《つつそで》の着物に、鹿《しか》の皮の袖無しを重ね、そまつな葛布《くずふ》の短袴《たんこ》に、なにかの毛物の皮で作った草履をはいている。かなり肥《ふと》ったし、日にやけて、すっかり逞《たくま》しくなったが、月代《さかやき》も髭《ひげ》もきれいに剃《そ》っているので、もちまえの人品のよさが、却《かえ》ってひきたつくらいだった。

地面を掘り、石でたたんだ、ぶきような手製の釜戸《かまど》から、活《い》き活きと火の舌が伸び、煙がゆるやかに、樹立《こだち》のさし交わす枝葉の中へと、揺れながら昇ってゆく。あたりはまだ昏《くら》かった。

灰いろの濃い霧が、森いったいを押し包んで、あるかなきかに動いていた。まわりには檜《ひのき》や椹《さわら》や杉などの、ひと抱えもある樹《き》ばかりで、どの幹も、霧のためにびっしょり濡《ぬ》れていた。下生えの灌木《かんぼく》の若葉も、草の葉も、雨のあとのように濡れて、これらのしずくが、厚く散り敷いている、古い朽葉の上に、ときどき音をたててこぼれ落ちた。

霧に押し沈められた、冷たい山気のなかに、しめっぽく蘚苔《せんたい》が匂《にお》った。半之助は立てて坐《すわ》った膝《ひざ》を、両手で抱えながら、なにを聞きいるともなく、うっとりと眼をほそめた。

彼の位置から、ほぼ十歩のところに、ごく細い渓流《けいりゅう》がある。細いけれども、水は豊かで、水蝕《すいしょく》された岩の急傾斜を、さあさあと、快い音をたてて流れている。深い森の中なので、たいていな雨では、濁ることがない。濁っても、せいぜい二日もすれば、きれいに澄んだ。

梢《こずえ》のあたりで小鳥が鳴いた。彼は鳥の名などは、殆んど知らないが、いつも朝はやく、まっさきに鳴きだす鳥で、自分流に「めざまし鳥」と呼んでいる。

チチチッ　チチッ　ヒヨヒヨヒヨ　チッ

こういったような、よく響く、まろやかな声である、ひと月ほどまえ、三月はじめの、まだ朝の肌寒《はだざむ》いじぶんには、梢からおりて、（釜戸の火を恋うるかのように）すぐ近くまで、寄って来たものであった。

うまそうな、味噌の香がし始め、蓋《ふた》を揺《ゆす》って、汁がふきこぼれた。

彼は濡らした手拭《てぬぐい》で、鉄のつるを取り、釜戸の脇《わき》におろすと、代りに、大きな湯沸しをかけて、立ちあがった。そのとき、「ほっ、ほう……」という声が聞えた。

「ほっ、ほう、ほっ、ほう」

かなり遠いらしい、郭公《かっこう》に似ているが、よく聞くと女性の声である。それは、つぎつぎにやまびこを呼んで、一種の幽玄な反響の尾を、ながくひいた。

半之助はちょっと立ち停《どま》った。しかしもう慣れているとみえて、両手で口を囲って、「ほっほう、ほっほう」と谷のほうに向って叫んだ。

それに対する答えはなかった。彼はふり向いて、灌木の繁《しげ》みを押し分けながら、うしろにある小さな洞窟《どうくつ》、というよりも、岩の裂目といったくらいの、暗い穴の中に入り、すぐに食器を持って出て来た。

キヨッキヨッ　キキキッ

頭上の樹の枝で、べつの鳥が鳴きだした。

釜戸から六尺ばかり離れたところに、方五尺ばかりの、やや平たい岩がある。巨大な岩の、頂面だけ地上に出ているらしい。蘚苔に包まれていたのを、幾らか手を加えたとみえるが、半之助はその上へ、出して来た食器を並べた。

「ほっ、ほう……」

さっきの声が、こんどはずっと近いところで、聞えた。

半之助は頭上をふり仰いだ。

明るみかけた梢のあたりで、にわかに小鳥が騒ぎだした。あわただしく翼の音がし、なにかがこぼれでもするように、枝と枝のあいだを、ばらばらと、小鳥の群が舞い立って、いま聞えた声のほうへと、先を争うように、飛び去っていった。その騒ぎで、雨のように落ちて来る、枝葉のしずくを、避けながら、半之助は快さそうな、期待の微笑をうかべ、岩の食卓の左右に、自分で編んだらしい、蒲《がま》の円座《えんざ》を置いた。

いま飛び去った方向から、やがてまた、小鳥たちの、やかましい声や、羽音が、しだいにこちらへ戻って来た。灌木の枝の折れる音がし、「だめだめ、うるさいわよ」などという、女の、あまい叱《しか》り声が聞えた。

明るくなるにしたがって、たちこめた霧が、まるで眠りからさめでもするように、少しずつ揺れだし、樹の間に濃淡の縞《しま》を描いて、山の高いほうへと、ながれ始めた。

「さあ肩からおりて、おりるのよう、だめ、もうたくさん」声はもっと近くなった。

そして、まもなく、下のほうから一人の娘が、霧を押し分けるようにして、こちらへ登って来た。

みどうの、花世であった。

彼女の姿も、あのときとは、すっかり変っていた。たけながの髪をひっつめにあげ、ひとつかねに束ねて、うしろへ垂れている。千草を染めだした藍摺《あいず》りの、元禄袖の着物に、葛布らしい、白の奴袴《ぬばかま》をつけて、素足に半之助のとよく似た、革草履をはいていた。うっかり見ると、少年のような姿である。

「お早う、ごきげんいかが」

声も少年のように、歯切れよく叫びながら、花世は大股《おおまた》に、こっちへ近よって来た。軀《からだ》つきも、ぐっとひき緊《しま》っているし、ゆたかに色の白い頬《ほお》を、若い健康な血があざやかに染めている。大きな、なにかの宝玉のような眸子《ひとみ》と、柔らかくしめった、彫刻的な口元とを、さらにひきたてるかのような、上唇《うわくちびる》の脇の黒子《ほくろ》が、かなりつよく眼を惹《ひ》いた。ぜんたいが、いかにもすがすがしく、伸びざかりの、匂やかな生命があふれているようにみえる。

彼女のまわりには、名も知れない小鳥どもが、群れ集まっていた。かれらは花世の頭上を飛びまわり、肩にとまり、また地面におりて、彼女といっしょに、歩いて来るのもあった。半之助は黙って、微笑しながら見ていた。

「あたし来たでしょ」

近づきながら、花世は自慢そうに云って、ぱちぱちとまたたきをしながら、つぶらな眼でこちらを見た。

「待っていて下すった」

「このとおり」

半之助はこう答えながら、岩の食卓をさしてみせた。

二

花世は、よろしい、というように頷き、給仕は自分がする、と云って、さも心得がおに、飯や汁の、鍋の蓋を取り、出来ぐあいをしらべてから、それらを椀《わん》に盛った。……このあいだも、絶え間なしに、なにか云い続ける。付きまとう小鳥たちを叱ったり、追うかと思うと呼んだりする。

「だめ、そんなにおちびさんをいじめないの、お鍋へ落ちるわよ、るりさん、火傷《やけど》したらどうするの、ちゃんと肩にとまって」

二人分の用意が出来ると、岩を中に、半之助と向きあって坐った。

「あたし御飯やお汁のよそいかた上手でしょ、さあめしあがれ」

そして半之助に給仕をし、自分も喰《た》べながら、ぜんぜん突拍子もないようなことを、次から次と、話し続けるのであった。

花世がなにか話しているあいだは、半之助は自由にものを考えることができる。それというのが、彼女のおしゃべりは、自分の空想に自分で酔うのであって、相手がそれをどう思うかも、はたして聞いているかいないかも、まったく問題ではないらしいからであった。

――たしかにあのときの娘だ。

半之助はこう思う。天平仏に似た顔だち、上唇の脇にある黒子。それは、あの山村座の茶屋で見た、あの娘に紛れはない。見れば見るほど、その印象は動かしがたいものになる。

――そしてあのときの声も。

青山主馬に、築地の丸茂へつれてゆかれたとき、二ど聞いた、郭公鳥の鳴くような、あの呼び声と同じものであった。

——たしかに同じだった。

しかも、その二つのばあいを、あの珍しい、菱形《ひしがた》の紋が、つないでいる。もはや、とうてい偶然の一致とは考えられない、まちがいなく、山村座の茶屋で見、丸茂の裏でその声を聞いた、あの娘である。

それはもう疑う余地がない、と思うのであるが、一方では、どうにもぴったりしない感じが残った。

三人の若者に、全身の汗をぬぐわせていたときの、ひと言も口をきかず、きりっと立った姿勢や、妖《あや》しくきらきらする眸子や、そして、どこやら悪徳のほのめくような美しさなど。いま眼の前に見る花世の、少年のように新鮮な、少しもよごれのない姿とは、その差があまりに大きかった。

——たしかにあの娘だ。

——しかしあの娘ではない。

こういう不安定な、どちらとも判断することのできない感じが、どうにも頭から去らないのであった。

「ええ本当なの、それはね」

花世は話し続けていた。

「それはまるで、まっ白な雪の宮殿なの、まっ白で、お日さまが出るときらきら光って、眩《まぶ》しくって見ていられないくらいよ、そして月夜に見ると、凄《すご》いの、そうね、なんて云ったらいいかしら、……そう、とても云えないわ、凄いっていうほかには、なんと云いようもないわ、あなたごらんになればわかってよ」

そして力をこめて云う。

「ね、ごいっしょにゆきましょう、もう四五日して、満月の晩が来たら、ね、しょうさま、いいでしょ」

「こんどはしょうさまですか」半之助は苦笑しながら答えた。「ええつれていって貰《もら》いましょう、しかしその、凄い宮殿というのはいったいなんです」

「あら、もうさっき申上げたでしょ、甘利山のうしろの、向うにある法王山よ、聞いていらっしゃらなかったのね」

「聞いていましたよ」

「あなたもう甘利山へお登りになって」

半之助は首を振った。

「あらいやだ、では此処《ここ》へいらしってから、どこもごらんにならないで、じっとこうしていらっしゃるのね、ずいぶんな怠け者だこと」

「それは私の罪じゃない」彼は苦笑しながら云った、「此処へ来るときに、いろいろな人からおどかされましたからね、椹ケ池《さわらがいけ》へ近よってはいけない、かんば沢へ入ると生きては帰れない、どこそこには亡霊が出る、甲斐の国じゅうの狸《たぬき》の集まる場所がある、といったぐあいですからね、これではうっかり歩くわけにもいかないでしょう」

「そうね、それはそうだわ」

花世は当惑したように頷《うなず》き、喰べ終った箸《はし》を置いて、なにか考えるような、眼つきをした。そして急に、たいそうなことでも思いついたように、そうだわ、と云って手を打ち合せ、好奇心に満ち満ちた表情で、じっと半之助の顔を見あげながら、「いつもいつも忘れてしまうんだけれど、あなたのお名前も、どこから、どういうわけがあって、こんなところへいらしったかも、乙女はまだなんにもうかがっていませんわね」

「それを云う暇があったでしょうか」彼はからかうように花世を見た、「話すのはいつも貴女《あなた》ひとりで、私にはなにも云わせて呉れなかったでしょう」

「あらいやだ、乙女はそんなにお饒舌《しゃべ》りじゃございませんわ、それは少しはお饒舌りもするけれど、だって信之助さまはいつもお淋《さび》しそうにしていらっしゃるし、ええ、ほんとうに辛《つら》いほどお淋しそうだわ、いつも」

彼女はまたしても違う名で彼を呼んだ。そのときそのときで、思いつくままの、好きな名で呼ぶのが癖である。もう十遍くらいも、変った名をつけられたが、半之助にはむしろ、それが好ましくさえあった。

「あたしそう思いましたの」

彼女のまなざしが、ふいに、うっとりとなり、表情は酔うような、空想のいろに掩《おお》われた。そして花世は、彼の悲しい身の上を、語りだすのである。彼は大身《たいしん》の武家の若さまである、もしかすると大名の若殿であるかもしれない。いや、たしかに若殿にちがいない。ところが悪い家来がいて、お家の中が紊《みだ》れて、彼は危うく毒殺されそうになる。そればかりかひじょうに美しい、町の娘を、彼は夢中になって恋しているが、その娘は自分の卑《いや》しい素性を恥じて、彼の熱烈な恋を拒絶する。

「その人は心のなかで泣きながら、本当に身も世もなく泣きながら、いいえ、わたくしのことはお諦《あきら》め下さいまし、とてもお情けを受けることはできません、とても、……そう云って、顔では笑いながら、いってしまうんです」

花世は、涙ぐみ、両手を握り合せ、耐えかねたように声をふるわせる。

彼は失恋のいたでと、毒殺される危険を避けるために、或《あ》る夜そっと、一人で邸《やしき》を出奔する。彼は絶望し、悲嘆にくれ、世の中も人間もいやになり、そしてこんな山の中へ。……というふうに、自在な空想に、自分で感動しながら、語り続けるのであった。

「ねえ、そうでしょう、わたくしの云うこと、そんなに違いはしないでしょ」

「そんなところでしょうね」

半之助は多少たじたじのかたちで、しかし好便に口をにごした。

「大名の若殿でもなし、大身《たいしん》の子でもないけれど、遁世《とんせい》して来たということは、貴女の推察どおりです」

「それでたくさん、もうなにも仰《おっ》しゃらないで」

花世は深い溜息《ためいき》をつき、溶けるような眼で、じっと温かく、半之助をみつめた。それは、両手で力いっぱい抱き緊める代りに、眼でかき抱く、といったような感じの、まなざしであった。

「いつまでも此処にいらっしゃるといいわ」彼女は云った、「春も夏も秋も、冬は、そうね、冬はちょっと困るけれど、此処は一年じゅう美しいし、珍しいことや楽しいことがたくさんあるわ、そして、いつまでも、いつまでも乙女が付いていて、お世話をしてあげますわ」

「それができれば有難いが」

半之助はこう云いながら、立って、湯沸しを取って来て、二人の椀に湯を注いだ。

「しかし、この土地の人たちは、よそから来た者を、住まわせては呉れないのでしょう」

「いいえ、乙女が付いていれば大丈夫、あたしが付いていさえすれば、誰だって、決して、あなたに指を触れることもできやしないわ、決してよ」

たいそう意気ごんで、花世はこう断言した。

「でもそれには、あなたが乙女のいうことを聞いて、いけないということを決してならなければ、だけれど」

「——たとえば」

「ひと口には云えないわ、此処にもいろいろと、そうね、……いろいろと、そのことに触れたり、見たり聞いたりしてはいけない、場所や出来ごとがあるの、たとえば今日は四月十一日でしょ」

「——だと思いますね」

「これもその一つだけれど、今日は誰も山道へ出たり、そこらを歩きまわったりしてはいけないの、どんなことがあってもよ」

こう云って、花世はおとなびた顔で、警告を与えるような、手まねをした。

「あなたも自分の居どころにいて、どんな物音が聞えても、なにか見えるような気がしても、そこを動かないで、じっとしていらっしゃるの」

「ははあ」

半之助はわざと眉《まゆ》をしかめた。

「――それはつまり、亡霊が出る、というわけですね」

「そんなふうにお聞きになってもいけないの、乙女がこう云ったら、そうかといって黙って、そのとおりにしていらっしゃるの、今夜ばかりじゃなく、ほかにもそういうことがいろいろあるけれど、それはそのときそのときに、此処はこれこれ、なにはこれこれとお教えするわ、そうしたら云うとおりになさればいいのよ、わかったでしょ」

あたかも母親が、子供に教え訓《さと》すような口ぶりである。半之助は苦笑しながら、よくわかりました、というふうに頷いた。

「それでいいわ」

彼女もしたり顔に頷き返し、だがすぐに、たちまちまた、活潑《かっぱつ》な空想にとらえられるようすであった。

「うれしいわね、わたくしいつもおそばにいて、あなたのお世話をしてあげるの、あなたが沈んでいるときは慰め、悲しんでいるときはいっしょに泣いてあげるの、もしかして病気になったら、五日でも十日でも、眠らずに看病してあげるわ、そして、……あら」

　とつぜん彼女はふり向いた。

「あら、あたし忘れていたわ、あなたにはお好きな方がいらしったのね、可愛《かわい》い、きれいな町娘が、……どうなさるの、あの方」

三

「町娘って……」

　半之助はこう反問しながら、ふとなをのことを思いだした。山村座の茶屋の女中の、可哀《かわい》そうななをのことを、……しかし、すぐに笑いながら答えた。

「それは貴女が自分で云いだしたことでしょう、私にはそんな者は一人もいませんよ」

「あらそうだったかしら」

　ふと首をかしげ、気がついたのだろう、恥ずかしそうに微笑し、納得した。

「そうだわ、あたしがそう思っただけね、それならいいけれど」

そしてまた、空想を続けるのであった。

だがこんどは、そう長く楽しむことはできなかった。彼の病気が（彼女の涙ぐましい看病にも拘《かかわ》らず）しだいに重くなって、医者も薬も効かなくなり、もはや死を待つばかりになったとき、山の彼方《かなた》から、びょうびょうと法螺貝《ほらがい》の音が聞えて来た。それは谷に響き、山にこだまして、びょうびょうと、まるで過去からの呼び声のように、息ながく、三度まで聞え、そして、こだまを残して消えた。

「あたし帰ります」

花世は空想から醒《さ》めて立った。

「どうしたんです」半之助は笑いながら、「私はたいへん重病になったところでしょう、死ぬんですか助かるんですか」

「あなたが、……あらいやだ」花世はさっと赤くなった、「それはお話だわ、そんなふうになったらというお話よ、でもあたし、もうゆかなくちゃなりませんの、またまいりますわね」

「ではそこまで送りましょう」

「いいえだめ、今日はだめ」彼女は強く首を振った、「今日は此処にじっとしていらっしゃるの、申上げたでしょ、明日になるまではじっとしていらっしゃいって、決して此処から動いてはいけないの、決してよ」

「わけも教えずにですか」

「いつかお話しますわ、もう少し経《た》ったら、もう少しして、もしかあなたが、……いいえ、あたし帰りまああす」

叫ぶように云って、にわかに騒ぎだす小鳥たちの群に、身のまわりを囲まれながら、すばやく駆けだしたが、すぐに立ち停《ど》まり、ふり返って、こんどはいさましく叫んだ。

「また忘れました、あなたのお名前なんていうんですか」

「好きなようにお呼びなさい」半之助は答えた、「私は自分の過去ときれいに別れたのです、名前も捨ててしまいました、貴女の好きな名で呼んで下さい」

「わあうれしい、それじゃ考えて来ます」

そして道のほうへと、駆けおりていった。

小鳥たちを叱《しか》る声や、木の枝の折れる音などが、しだいに遠くなり、やがてなにも聞えなくなると、東の空を重たげに塞《ふさ》いでいた、黒ずんだ牡丹色《ぼたんいろ》の雲が裂けて、いつか朝の日光が、きらきらと森の梢《こずえ》を染めだしているのが、見えた。……霧はもう、すっかり山の高みへ去り、小鳥の鳴き声も、ずっと下の、林のほうへと移った。森の中のひんやりした空気に、かなりつよく、杉や檜の爽《さわ》やかな香が、匂《にお》い始めた。

半之助は夜になるまで、花世のいいつけに従って、そこを動かずにいた。そうしてそのあいだに、食卓岩の上に一枚の板を置き、筆や硯《すずり》や、紙や、それから叔父の遺品をとりひろげて、自分の覚書をとった。

江戸をぬけだしてから、すでに八カ月ちかく経っている。

はじめ、韮崎《にらさき》という町に宿を取って、春の来るまで、付近のようすを見てまわった。そこは釜無川《かまなしがわ》の東がわで、川上のほうには、むかし武田勝頼の拠《よ》った、新府城の址《あと》がある。川に面した断崖《だんがい》の上で、石垣《いしがき》も塁も乱雑たる廃墟《はいきょ》だったが、今でも土を掘れば、刀の折れや、焼けた籾《もみ》などが出る、ということである。

城址からさらに、川上へ遡《さかのぼ》ると、甲斐駒《かいこま》の連峰が、川を越して、のしかかるほど眼《め》ぢかに、眺《なが》められた。彼は叔父の描いた地図と、照らし合せながら、その連峰の南の端によって、甘利山をそれとつきとめ、そのふところの谷や、峡間《はざま》や、中腹の高原にひらけている、村や、部落の位置を、よく慥《たし》かめておいた。

宿は若竹屋といい、主人は文造といって、五十歳ばかりの、軀《からだ》の小さな、しゃがれ声の男だった、甲府の城下へいって、三年も義太夫浄瑠璃《ぎだゆうじょうるり》を稽古《けいこ》し、なにがし太夫とかの、名を貰ったそうである。そのためにそんな声になったが、のちになって、師匠の土佐掾《とさのじょう》というのがくわせ者であり、じつはどこかの馬子あがりの、つまらないような素人《しろうと》だ、ということがわかって、たいへん落胆もし、信用も害したという。

——今となっては、このしゃがれ声が恨みでございます。

文造はそのしゃがれ声で、しんじつ恨めしげにそう云った。この話でもわかるとおり、彼はごく人の好い、朴訥《ぼくとつ》な性質らしく、半之助に対しては、はじめから同情的であった。

——いや、なにも仰しゃるな、みんなわかっております。

そんな眼つきで、頼みもしないようなことまで、こまかく気をくばって、親身に面倒をみて呉れた。しぜん、半之助はよけいな身の上話などする必要がなかった。ときどきさりげなく、——向うに見えるあの山へでもはいって、二三年しずかに心の修業をしたい。こう云うのである。すると文造は、よく心得たふうで、それにはどの山がよいとか、食糧や山ごもり用の支度は、これこれの物を揃《そろ》えろ、というぐあいに意見を述べ、なお、甘利山とその周辺の、特異な伝習や、人情気風についても、いろいろと注意すべき点を語った。

半之助はいそがなかった。準備がすっかり出来て、近い山やまの雪が溶けてからも、なおゆっくり構えていた。そして三月になり、桜が咲きだすのをみて、ようやく宿を立った。

宿の主人は、たけ沢の北にある、鷹山《たかやま》へはいれと云った。そこは鳥居峠という、古戦場に近いし、里へおりるにも便利である。まちがっても、たけ沢から南へはいってはいけない、そこでは決して他国者は住めないから。と、繰り返し念を押した。だが半之助は、文造の禁じたほうの山へ、沢づたいに、はいって来たのであった。

地図で見ると、いま半之助のいる位置は、甘利山の東面の、ほぼ七合目に当っていた。

頂上ちかくまで、きれこんだ、三つの、傾斜の急な渓谷《けいこく》がある。そこから落ちる水が合流し、甘利沢となって、釜無川へ注ぐのであるが、その三つの渓谷の、いちばん北がわの、森の中に、彼は居どころを定めた。

勾配《こうばい》の急な地勢で、二つの山襞《やまひだ》に挟《はさ》まれているから、森の幅はあまり広くはないし、二百歩も下ると、落葉樹の疎林《そりん》地帯になる。そこは少し狭いけれども、岩穴があって、荷物や食糧も置けるし、彼一人が寝起きをするには、てごろであった。冬季になったら、入口に少しくふうをすれば、寒さも充分に防げるようである。

三月に此処へはいってから、彼は殆《ほと》んど、そこを動かずにいた。

土地の者に発見されたら、――単に二年か三年、心身を鍛えるために、山ごもりをしている。と云うつもりでいるが、そのためにも、誰かと知りあい、或る程度うちとけるまでは、むやみに出あるいたりして、かれらに疑われるようなことは、避けなければならない、と考えたのである。

此処におちついてからすぐに、彼は「ほっほう……」という、あの呼び声を聞いた。山に谷にこだまする、透明な、柔らかいその声を、初めのうちは、郭公鳥かと思った。ついで、「丸茂」の裏で聞いた声と、よく似ていることに気づいた。そして、それは鳥の鳴き声ではなく、若い女の声だとわかったが、かくべつこだわる気持はなかった。江戸と此処では、あまりに距離が大きすぎるし、「丸茂」の豪奢《ごうしゃ》さと、人煙も稀《まれ》なこの山奥とでは、どうむすびつけようもないほど、条件が違いすぎていた。

四月にはいって、今から約五日ほどまえに、その声のぬしと出会った。

半之助はちょうど、岩の食卓で、昼餉《ひるげ》を喰べているところだった。下の林のほうで、がさがさと叢林《そうりん》の揺れる音がし、人の声が聞えた。猟師でもあろうか、と思っていると、森の中にある細い渓流の向うへ、いきなり彼女が現われたのである。

いつのまに、そんな処《ところ》まで、登って来たのか、その早いのと、物音のしなかったのとで、半之助はまさしくぎょっとした。彼女のほうでも、びっくりしたらしい、ぴたっと立ち停って、眼をみはり、口を少しあけて、じっとこちらを見まもった。

梢を漏れてくる日の光りが、上から彼女を照らしていた。蒼《あお》ずんだ、深く暗い背景のなかで、明るい光りに照らしだされた、彼女の姿は、この世のものならぬ、神秘な彫像でもあるかのような、つよい印象を、半之助に与えた。

——こちらへ小さな熊《くま》の仔《こ》が来たのを知らないか。

彼女はこう問いかけ、それから半之助のそばへ近よって来た。

——親にはぐれたらしい、まだごく小さな仔熊が迷っていた、可哀そうだから捉《つか》まえて、家で飼ってやろうと思って、さんざん追いまわして来た、すっかり空腹になって、家へ帰るまでがまんができない、もしも悪くなかったら、その御飯を喰べさせて呉れないか。

恥ずかしそうな顔もせずに、自分はみ、ど、う、の花世という者である、と彼女は云った。

四

朝の残りの味噌汁をかけた、もう冷たい飯を、花世はさもうまそうに、三つも替えて喰べ、そのあいだ、ひっきりなしに饒舌《しゃべ》った。

——どこから来たのか、どうしてこんな処にいるのか、家はどこか、名前はなんというのか。

そんな質問はするが、返辞をする隙《すき》も与えずに、また自分のお饒舌りを始める。半之助は苦笑しながら、どこまでが本当か、よくわからない話を、温和《おとな》しく聞いていた。

——自分はこういう処で、こんなふうに食事をするのが、ひじょうに好きである、こんどまた来てもいいだろうか。

——どうぞいつでも。

——では来るときには、こういう合図をするから。

と云って、彼女は「ほっほう」という呼び声をやってみせた。それから、これは小鳥を集める声で、この山にいる小鳥どもは、ぜんぶ自分の家来である。この次はつれて来てみせる、などと自慢をして、いさましく帰っていった。

叔父の手記によれば、みどう家は、巨《こ》摩郡《まごおり》ぜんたいの土着民から、（ひそかに）領主のような、尊敬を受けているそうである。そのために、甲府城代は、しばしば探査を試みた、現に遠藤兵庫も、同じ目的で山入りをした。叔父は、売薬の行商人に身をやつして来たのだが、みどう家を探査するという、目的を感づかれて、土地の者からひどい扱いをされた。

半之助は、そのみどう家の娘と、知りあったのである、――しかも求めずして。

これは僥倖《ぎようこう》というべきである。決して事をいそいではいけない、花世がみどう家の娘である以上、彼女と親しくなれば、やがて住民たちとも、敵意のないつきあいが、できるようになるかもしれない。彼はこう思って、さらに行動を慎んでいた。

花世が今日、やって来て、――あたし来たでしょ。などといばったが、あれ以来それが初めてで、いくらか云いわけの意味が、あったのかもしれない。むろん、そんなことには少しも拘泥《こうでい》せず、古い友達かなんぞのように、楽しそうに、喰べたり話したりして、帰った。

――この調子でゆけばいい。

半之助は今、自分の覚書にそう記した。但《ただ》し今夜のことは、問題がべつである。四月十一日の夜半には、亡霊の武者たちの行列がある。それにどんな秘密があるかわからないし、花世もきびしく警告したが、年にいちどしかないその行列は、どうしても見ておきたかった。

「この日は、早朝、法螺貝の合図で始まった」

彼は口で呟《つぶや》きながら、こう書いて、筆を置いた。

夜の矢声

一

篝火《かがりび》が四つ、火花をちらしながら、炎々と、闇《やみ》を焦《こ》がしていた。そのゆらめく光りが、巨《おお》きな杉の樹立《こだち》と、大社づくりの古びた神殿と、その前に設けられた、方四間の舞台を、照らしだしていた。

神殿の廂《ひさし》には、四つ目菱《びし》の紋を打った幕が張ってあり、扉《とびら》を開いた内陣に、白の大口に腹巻を重ねた老人（それはみどう清左衛門であった）が一人、神燈を護《まも》るかのように、端坐《たんざ》しているのが見える。

きざはしの下に二人、大鎧《おおよろい》を着た部将が、床几《しょうぎ》に掛けている。そこから、舞台の左右へ、黒い甲冑《かっちゅう》の武者たちが、およそ五十人ばかり、それぞれ背に挿物《さしもの》を立て、槍《やり》、長巻、弓などを手に、居並んでいた。

笛、鼓《つづみ》、太鼓の下座が、ひなびた、緩い拍子の曲を奏し、舞台の上では、登世と花世の姉妹が、舞っていた。それは「羽衣」らしいが、曲も、舞の手振も、ひどく古風な、おもむきの変ったもので、はっきりそうとはいえなかった。

登世が天女、花世が漁夫をつとめている。鼓や笛の音が、杉の樹立に高く反響し、姉妹のうたう声の、澄みとおるような、美しい呂律《ろれつ》が、これらのうえに、神秘的な印象を与えていた。

武者たちはみな、白の鎧下を着、兜《かぶと》の目庇《まびさし》から、白い布を垂れている。兵庫の手記にあったとおりの、異様な姿で、ひと言も口をきかず、身動きもしなかった。

――これが薪能《たきぎのう》というものかもしれない。

半之助はそう思った。

約半刻《はんとき》まえ、彼は甘利沢の下の山道で、この武者たちの、深夜の行列を眺め、ひそかにそのあとを跟《つ》けて来て、杉の樹立の蔭《かげ》から、この珍しい儀式を見まもっていたのである。……腹巻を着けた老人によって、神殿の扉が開かれ、神燈がともされ、祝詞《のりと》があげられた。半之助の位置からは、よく聞きとれなかったが、その日が武田信玄の忌日《きにち》に当ること、その儀式が、信玄の霊をなぐさめ、報恩の誓いを新たにするものであることは、およそ理解することができた。

――叔父の書いているとおり、これが武田氏の遠祖と関係のある、武田八幡にちがいない、そして、内陣にいるあの老人が、みどう清左衛門という人であろう。

舞っている一人が、花世であることは、軀つきや、その声の調子でわかった。

——もう一人は誰だろう。

声は花世のそれより韻が深く、身のこなしは激しく、やや荒あらしくさえあった。花世に姉のあることを、半之助はまだ知らないので、それが誰であるかは、見当がつかなかった。

とつぜん、鳥が舞いおりた。

杉の梢から、鳩くらいの大きさの鳥が、さっと舞いおりて来て、翼をひらめかしながら、狂ったように、篝火のまわりを飛びまわり、キキッとするどく鳴き、次の篝火へ移ったが、炎にどこかを焼かれたのだろう、横さまに地面へ落ち、ぱっと羽毛を散らしながら、苦しげに地をはたき、転々と身もだえた。

そのとき、ちょうど、舞が終った。そして、登世が天女の衣裳《いしょう》のまま、舞台の端へ来て、仮面《めん》をぬぎながら、下座の者に向って、「あの鳥を、……」と云った。

半之助は眼をみはった。仮面をぬいだ登世を見て、半之助は、花世だと思ったのである。

——そんな筈《はず》はない。

漁夫をつとめた娘こそ、軀つきも声も、まぎれなく花世であった。その娘は、もう舞台をおりているが、彼は自分の眼に誤りがあったとは、とうてい思えない。

——ではあれは誰だ。

半之助がそう戸惑いをしているあいだ（もちろん極めて短い時間のことだったが）に、登世は、太鼓を打っていた下座の者から、鳥を受取り、まだ激しく羽ばたいている、その鳥を、右手に捧《ささ》げて、武者たちに呼びかけた。

「みんなよくお聞き」

初めは低い声であった。そして、神殿の内陣にいた、みどう清左衛門が立って、なにごとか叫び、きざはしの下の、部将すがたの一人が、舞台のそばへ歩み寄った。彼は登世の話を制止しようと、したらしい。登世は続けた。

清左衛門が、さらになにごとか命じ、その部将すがたの武者は、舞台にあがろうとした。すると、登世はすさまじいほどの、怒りの身振りをし、叫びだした。篝火をうつして、宝冠がきらきらと光り、武者たちのほうへふり返った顔が、強くひきつって、妖気《ようき》を放つようにみえた。

「みどうの家は、百三十余年、武田家再興のために、代々、肝胆をくだいて来た、ここに集まった者もみな、そのことのために、すべてを耐え忍んで来た、みんなは、お祖母さまのとき、その機会があったのを、知っておいでだろう、お祖母さまの見込みがちがって、慶安の事は失敗した、こんどは二度めだというばかりでなく、お祖母さまのときとは、比べようもないほど、手を尽し、法を尽してきた、それはみんなも、この権之丞から、聞いたと思う」

こう云いながら、登世は、舞台のすぐ下にいる、部将すがたの男を、指さした。

「けれども不運なことに、七分どおりまできて、こんどもまた、挫折《ざせつ》しようとしている、それは将軍綱吉が、この正月に死に、ついで、事を起こす中心とたのんでいた人が、失脚してしまった、幕府ではその人に関連して、登世の企てをも感づき、これをうち壊そうと、手配をしている、その手先は、もう、この甘利にまで及んでいるようだ、今こう云っているとき、この境内にも、幕府の手先が忍び入っているかもしれない、その暗がり、その杉の樹蔭、社殿のうしろに」

登世はいちいち手でさし示しながら、そこでさらに声を張った。その眼は火のように、ぎらぎらと光り、蒼ざめた顔に、さっと血のさすのがみえた。

「手を束《つか》ねていても、わたしたちは亡《ほろ》ぼされてしまう、生きるか死ぬかの、時が来たのです、甲府城には、武器も、兵粮《ひょうろう》も、馬も、兵も集めてある、恵林寺さまの御遺志を守って、城にたてこもって、ひと合戦するか、黙って幕府の手に捕われるか、途《みち》はこのうちの、一つよりほかにありません、また、武田家再興の望みも、この機会をのがしては、もう決して来はしません、これが、百三十余年のあいだ、待ちに待った、たった一度の機会です、今後には決して望みのない、たった一度の……」

こんどこそ、彼は思いだした。

——あの女だ。

木挽町の芝居茶屋で見た、あの異常に美しい、妖《あや》しく魅するような、彼女の姿を。

……それは、天女の衣裳《いしよう》と、宝冠を着けたままで、ふしぎなほど鮮やかに、記憶からよみがえってきた。

——だがいったい、……いや、そうだ、姉妹にちがいない、花世にわきをつとめさせ、あのような態度でものを云う、おそらく花世の姉であろう。

このあいだにも、登世は、しだいに昂《たか》ぶってくる声で、殆んど叫ぶように、言葉を続けていた。

「登世は明日、甲府城へはいります、恵林寺さまの御遺志を忘れない者、父祖代々の誓いを忘れない者、甘利武田の名を惜しむ者は、登世のあとにつづくがよい」

彼女は手に持った鳥を示し、「これをごらん」と額をあげて云った。

「奉納の舞のなかばに、篝火の中へ落ちて来た、これこそ恵林寺さまの御霊《みたま》が、挙兵のときをお告げになるあかしです、この……」

とつぜん、彼女の声がとぎれ、ひきつるようなその顔を、こちらへ、半之助の隠れているほうへと、ふり向けた。彼女の眼が火のような光りを放ち、唇《くちびる》が、片方へ歪《ゆが》むのを、半之助は見た。

「そこに、曲者《くせもの》がいる」登世は絶叫した、「幕府の手先だ、その大杉の蔭に、射て取れ、逃がすな」

そのとき、武者たちの居並んでいる、うしろから、弓を持った男が、非常にすばやく立ちあがり、神速に、矢をつがえて射た。登世の叫びと、その男の矢を射かける動作は、殆んど間髪を容《い》れぬ、といいたいほど、すばやく、かつ、呼吸が合っていた。

半之助は身が竦《すく》んだ。あまりに不意で、どうすることもできず、息が詰るようであった。

しかし、矢は、彼のいる処よりも、やや右にそれた。二の矢、三の矢。するどく空を切る、矢羽根の音は、みな同じ方向へ飛んだ。

——おれではない。

こう気づいて、彼が、反射的に立ちあがったとき、矢の飛んでゆくあたりで、藪《やぶ》を走る人のけはいがし、ぞっとするような、悲鳴が起こった。……半之助はうしろの闇のなかへ、夢中で走りこんだ。武者たちが総立ちになって、なにか喚《わめ》きながら、こっちへ駆けつけて来た。

境内の森は広くはない、外がわは藪と雑木林で、山の斜面へと続いている。半之助は林の下生えの中へとびこみ、身を跼《かが》めた。息が喉《のど》につかえ、心臓が狂ったように、激しく搏《う》った。

意外に近いところで、つんざくような叫びと、木の枝の折れる音がし、

「待って呉れ、逃げはしない」

という声が聞えた。

「手向いはしない、このとおりだ」

半之助は身を起こし、山の斜面へと、音をさせないように、登り始めた。そのとき、松火《たいまつ》を持った、武者たちが、林の中へ追い入って来、なにかけたたましく叫んだ。すると、あのきみの悪い唸《うな》りをたてて、彼の左右へ、つぎつぎと、矢が飛んで来た。

斜面の勾配《こうばい》は急で、若木が密生していた。

土は柔らかく、朽葉が積っているので、うっかりすると、足が滑った。しかも、気があせるので、音を立てずに登ることは、不可能にちかい。山びとであるかれらは、

おそらく、そういう物音に敏感で、半之助の所在を、すぐに聞きとめたのだろう、射かける矢みちをよけて、右と左から、松火を持った五六人の者が、ぐんぐん追い詰めて来た。

——逃げられない。彼はそう思った。おとなしく捉《つか》まるほうがいいかもしれない。

……けれども、あの舞台の上の、（登世の）怒りにひきつった顔と、狂信的な叫びとが、そうする決心をにぶらせた。

——だめだ、逃げるほかはない、捉まったらそれまでだ。

彼はひっしに、木から木を伝い、暗い茂みのあるほうへ、そして上へ、上へと、けんめいに登り続けた。

まもなく矢は来なくなった。喚き声も、かなりひき離した。だが半之助は、ふり返るだけの、気持のゆとりはなかった。手も足も（いや殆んど頭から）朽葉と土にまみれながら、さらに二段ばかり、息もつかずに登った。

——綱吉が死んだ。

——誰かが失脚した。

彼はそのことを、初めて聞いた。誰かが、というのは、柳沢吉保をさすのであろう。すると、これまで接してきた、いろいろの断片が、ようやく、一点に、集約されるのを感じた。

築地の丸茂は、みどう家の、（おそらく姉にちがいない）彼女の経営するものだったろう。そこに集まる幕府の、柳沢系の閣僚たち。そこで議された問題。柳沢の権勢を保持しようとする動きと、また、その動きを利用して、夢のような、――武田家再興などという、――無謀な、憑《つ》かれたような野心と。そして、それに対抗する、甲府侯綱豊を中軸とした、新しい勢力。こういったものが、今まざまざと、集約されて、みえるように思えた。

――波が寄せ、波がかえる。

幾百千年のむかしから、繰り返し、繰り返してきて、今も、これからさきの、幾百千年も、同じように繰り返し、繰り返し……。

――まっぴらだ。

半之助は頭を振った。

――おれはごめんだ。

斜面が断崖《だんがい》につき当った。そこで、初めて彼はふり返った。

空には、いつか雲が切れて、かなり西へまわった月が、眼下の叢林《そうりん》を、おぼろげに照らしていた。そのために却《かえ》って、松火の光りも見えず、遠くかすかに、人の叫びあう声が、まのびのした、こだまを呼ぶばかりであった。断崖を右へまわると、林をぬけて、若草と岩のごろごろした、もっと急な斜面へ出た。彼はその岩にすがって、なおも上へと、登っていった。

——幕府の手先というのは、本当だろうか。あの、弓に射られたのは、どんな男たちだろうか、……あの弓。

半之助は息をつくために、大きく突き出た岩のところで、立ち停《どま》ったが、そのときふと、築地の丸茂の庭で、白鷺《しらさぎ》を射とめた、あの弓の名手のことを思いだした。

「——菱屋なにがし、とかいったが……」

彼は額の汗を拭《ふ》いた。

二

半之助はまた登り始めた。

息はまだ苦しい、もう少し休みたいのだが、下のほうで、（いま彼がまわって来た断崖のほうから）人の来るけはいがしたのである。月はちょうど、正面にあった。登ってゆく山の、稜線《りょうせん》に、もう少しで隠れようとしている。あたりはかなり明るいが、逆光線で、突き出ている岩や、ところどころ斑《まだら》に生えている、草や灌木《かんぼく》の茂みが、際《きわ》立《だ》って暗い。彼はその暗いところを伝って、這《は》うように登り続けた。喉がひどく渇いていた。唾《つば》をのもうとすると、舌の奥が貼《は》りつき、抑えるひまもなく、咳《せき》がこみあげてきた。ひとつかみほどの、若草に手が触れ、それが露でしとどに、濡《ぬ》れていた。彼はその小さな草の上に、顔をじかにつけて、貪《むさぼ》るように、露を吸った。

——菱屋なにがし。

丸茂の庭を見ながら、主馬に聞いた名である。顔も知らないし、いましがたの、闇の中へ的確に矢を射込んだぬしが、その男であるかどうかは、わからないが、もしその男であったとしても、半之助には、もう少しも不自然には思えなかった。

——あの女の企図したことは、すべて失敗した、柳沢吉保も、その権勢の座から、逐《お》われた。

——あの女は、ここで、最後のひとあがきを、しようとしている、どんな人間が、いっしょに来ていても、ふしぎではない。

彼はまた、草の露を吸った。

「あだし、あだ浪《なみ》、よせては、返る浪」

われ知らず、そんな唄が口に出た。あさづまぶねの、あさましや、またあすの日は、誰に契《ちぎ》りを、交わして、色を、色を交わして、枕《まくら》はずかし、いつわりがちなる、わが床の山、よしそれとても世の中。

ひところ、江戸で流行した、俗謡である。

柳沢吉保が、将軍を邸《やしき》に迎え、宴席におのれの妻娘を侍《はべ》らせた、というのを諷《ふう》したものだそうで、その作者である町絵師、英一蝶《はなぶさいっちょう》は、咎《とが》めをうけて流罪《るざい》になった。

「よせては、返す浪……」

またしても、徒労な事をめぐって、ひしめき、争う人の世のさまが、思いうかんだ。

――あの女の狂った眼つき。

もしかして、武田氏の天下が実現したとして、それでいったいどうだというのか。

柳沢一派にしても同様である。かれらの謀計がうまくゆき、甲府侯を廃し、かれらの好ましい将軍をたてて、その権勢を持続することが、できたとして、それでどれほどのことがあるというのか。

半之助はふと停った。すぐ眼の前に、巨《おお》きな岩があり、そこから右へ、もう一つの岩との間に、細い通路のようなものがみえた。

――伏岩。

まさかと思った。しかし、いま登っている尾根の、左の峡間《はざま》は「かんば沢」に、当っている筈だ。彼は迷った。

「とにかく、登り詰めてから」

もうそこに、稜線が見えていた。その上へ出れば、展望もきくし、追手の来ようによって、逃げる方向も自由になる。手も足も、抜けそうに疲れていた。激しく喘《あえ》ぎ、圧迫されるような、心臓の鼓動に苦しみながら、半之助は、まもなく、その急勾配の斜面を登りつめた。すると、いきなり、向うへ、雪の宮殿が現われた。

登りつめたそこは、もちろん頂上ではなかった。あとでわかったのだが、それは甘利山の頂上尾根が、奥の山へと続く、鞍部《あんぶ》であった。

そこに立つと、まだ月は高かった。右は奥の山の、なだらかな側面で、下は雲に閉ざされている。正面に山なみが、かなり近く迫っているが、その中に、(たぶん月光のためだろう)青白く、きらきらと光るような感じで、偏三角形の堂々とした、峰が見えていた。

「――あれが法王だな」

半之助はそう呟いた。花世が、月夜には雪の宮殿のように見える、と云った。その山にちがいない。石英質の岩ででもあるのか、断雲が月を隠しても、そこだけはかなりはっきりと、ほの白く見ることができた。

だがもちろん、それを眺《なが》めているほどの、気のゆとりも、時間も、あるわけではなかった。どこかうしろの、やや右に寄った下のほうで、欠けた岩の転げ落ちる音がし、なにかに驚いて、ばたばたと鳥の飛び立つのが聞えた。彼はまだ激しく喘ぎながら、追って来る音の、方向に耳をすました。

空気は冷たく、結晶したかのように、澄みとおって、吸いこむと鼻や喉の粘膜がひりひりし、吐く息は白く凍った。

——たしかに来る。彼は身を跼《かが》めて走りだした。

それはまっすぐに、ゆるい登り勾配で、甘利山の頂上へと、続いている。尾根を左へ（いま雲に閉ざされて見えないが）くだれば、彼が住居にしている、岩穴のある谷間へ出る筈であった。——そこはまずい。もしそっちへ逃げて、こんな状態で、かれらに岩穴を発見されたら、もうこの山にとどまることは、できなくなるだろう。

彼は立ち停った。そしてすぐに、そこから斜面を左へおり、岩場を這うようにして、逆に、元のほうへと戻った。追手が来たら、やりすごすつもりで、……岩の一つへ足をかけ、物音を聞きすまして、次の岩へ移る、という動作を繰り返しながら。いつか粒の大きな霧が巻いて来て、みるみる岩が濡れはじめた。それで、ふいに足が滑った。

岩にとりつこうとしたが、砕けた岩の急勾配で、彼はずずずと滑り落ち、足先がなにかに触った、と思うとたん、躯《からだ》が横になり、まっ暗な穴のようなところへ、岩屑《いわくず》といっしょに、転げ落ちた。

下へ止って、しばらくは、そのまま、倒れていた。がらがらとあとから、まをおいて、岩屑が落ちて来たが、その反響する音で、そこが洞窟《どうくつ》の中だということがわかった。

彼はやがて、そろそろと身を起こした。

どこにもけがはなかった。落ちて来た穴の、上のほうを見たが、少しの光りも見えず、なんの物音も聞えなかった。あたりは塗りつぶしたような闇で、どこがどうなっているか、見当もつかない。やや長いこと、ようすを聞きすましてから、彼は、燧《ひうち》袋《ぶくろ》を、とりだした。

三

用意して来た小さな蠟燭《ろうそく》に、火をつけた。

湿気のない、よく乾いた空気のなかに、いま崩れた岩の、こまかい粒子の粉が舞っていて、蠟燭を中心に、まるく光りの暈《かさ》をつくった。その微粒の塵《ちり》に咽《む》せて、彼がつよく咳くと、それが岩壁にこだまして、遠くまで、ながく尾をひきながら、響いていった。

高さは八尺、横は五尺くらいだろう、ほぼ同じ大きさの空洞が、左右へずっと延びている。どちらが入口か、はたして（いま落ちた穴のほかに）出入りをする口があるかどうか、もちろんわからない。

「だいたいの見当では」彼はそっと呟《つぶや》いた、「そう、かんば沢から、そう離れたところではない筈《はず》だ、少し、脇《わき》にそれているか、上のほうに当るくらいだろう」

岩屑の塵が、しずまってきた。やがて半之助は、崩れた岩の、破片の山から、左のほうへおりた。気圧が違うのか、それともあまりに静かなためか、両方の耳が、圧迫されるように、があんと鳴るのを覚えた。

二三歩あるきだした彼は、にわかに、左右が明るくなったのに気づいて、不審に思いながら、立ち停った。蠟燭を上げてみると、岩壁の天床《てんじょう》と、左右とが、眩《まぶ》しいほど、光りを反射するのであった。

——それだけのことか。

出口でもあるのかと思ったので、ややがっかりし、さらに十歩ばかりゆくと、足もとに、人が倒れているのをみつけた。吃驚《びっくり》して、あっと、危うく叫びかけ、逃げだそうとした。が、動くけはいがないので、こんどは注意ぶかく、そばへ寄ってみた。

それは死躰《したい》であった。こちらへ頭を向けて、仰向きに倒れ、片手を伸ばし、右手で胸を摑《つか》んでいた。片方の足が不自然にねじれ、また、頭の半分が、砕けていた。死の苦悶《くもん》が、そのまま残っているような、かたちである。

それは古い死躰だった。着物はぼろぼろになり、砕けた頭からながれ出た血も、すっかり乾いていた。

「どういう人間だろう」

半之助は独り言を云った。異様な匂《にお》いがするようである。じつはなにも匂わないのだが、胸がわるくなった。それで、死躰をよけて、通りぬけようとすると、ねじれた足のところに、かなり大きな革袋が、投げだされてあり、その袋から、なにかきらきら光る物が、こぼれて、ちらばっているのをみつけた。

彼は蠟燭をそっちへ近づけてみた。

ちらばっているのは、透明なのや不透明な、三種類ばかりの、宝玉ようの石であった。そういう知識のない彼には、名称はわからないが、もっとも大きな一つは、明らかに、紫水晶であった。

彼は革袋を取ろうとして、ふと死躰の顔を見た。他人の物に触れるという、気の咎めであるが、見たとたんにぞっとした。そのとき彼は、死躰の足のほうにいたのであるが、そこからみると、死躰の顔が（苦痛に歪《ゆが》んだまま）生きているかのように思えたのだ。彼は眼をそらそうとした。が、すぐにこんどこそ高く叫び声をあげた。

彼がぞっとしたのは、死躰の顔が生きているように、見えたためではなかった。

誰かに似ていたのだ。彼がよく知っていて、しかも、忘れることのできない、誰かの顔に……。それは叔父に似ていた。古い死躰で、おも変りがしているだろうか。いや、乾いている空気と、地質の関係から、それは甚《はなは》だしい変化はないようだ。もちろん、叔父とは十二歳のとき会ったきりで、記憶はかなりあいまいである。その顔が少しも変っていないとしても、たしかな判断はできないにちがいない。しかし、やっぱりそれは、叔父に似ていた。

半之助は蠟燭を左に右に動かした。まぎれもなく、叔父に似ていた。よく似ていた、歪んだ顔の下半分に、あの、人を嘲弄《ちょうろう》するような、それでいて穏やかな微笑が、いまにもうかんできそうであった。

――此処はかんば沢に近い。

叔父はかんば沢へはいって、そのまま行方不明になり、遺骸《いがい》もみつからなかった。

「これがもし叔父だとすれば」

半之助は蠟燭をつけ代えた。そして、そこにちらばっている宝玉や、同じ物の詰っているらしい革袋を眺め、さらに、明るくきらきらと、光りを反射する、洞窟の壁面を、しらべてみた。

半透明で乳白色の部分に、層をなして、水晶らしい結晶体が、露頭している。乳白色のところは、光りを受けると、内部が沈んだ金色を湛《たた》え、結晶体のところは、幾百千となく屈折した光りで、美しくきらめき、輝いた。

――かんば沢、伏岩。

土地の伝説ばかりでなく、叔父もまた、その手記で、近よってはならない、と、諄《くど》いほど繰り返していた。そして、そのことが、半之助の記憶のなかで、「信玄の石棺」というものに、むすびついた。武田家再興のために、伝来の白旗や、兜《かぶと》や、巨額な黄金、宝珠を塡《つ》めて、どこかへ埋めた「信玄の石棺」というものに……。

「これが、その石棺ではないだろうか、この洞窟そのものが」

彼はこう呟いて、ふと息をひそめた。

毎年四月十一日の深夜、信玄の霊をなぐさめるために、旧臣たちが武装して集まる、武田八幡の社殿は、この洞窟の下に当る。すると、此処に信玄の、（所在不明といわれる）遺骸を納め、同時に再興のための財宝を隠した、と考えることは、さして不自然ではないだろう。

「そうだ、決して不自然ではない」

かんば沢に近よることが、古くから厳重に禁じられ、近よった者は、みな無事ではなかった。それは、この一郷の者にとって、この洞窟が、非常に重要な意味を、もっているからであろう。非常に重要な、……つまり巨額な財宝のほかに、信玄の遺骸が納めてある。神域である。ということをも証明するのではないか。

「近よった者は、みな無事ではなかった、ときに帰ることのできた者も、廃人のようになっていたという、……廃人のように、とはどういうことだろう」

それはおそらく、他の多くのばあいのように、話に尾鰭《おひれ》がついたものであろう。だが、叔父もまた狂人のようになった、まったく狂人のように。……けれども、他のばあいとは違うのだ。

「たしかに、叔父のばあいは、他のものとは違う」

半之助は次のように、仮定してみた。

叔父はこの洞窟へ入ることができ、中にある財宝をみつけだした。そのとき叔父は、それを自分の物にしたい、と思わなかったであろうか。妻の不貞、都会生活の倦怠《けんたい》、いろいろな意味から、叔父は（そのため甲府勤番にまわされるほどの）放蕩《ほうとう》をした。叔父の気質には、そういう脆《もろ》いものがあった。発見した財宝の巨額さが、叔父を誘惑しなかった、とはいえないであろう。それはあらゆる享楽《きょうらく》や、自由や、欲望の満足を、約束する、まったく新しく、しかも解放された生活にはいることができる。

叔父は狂人をよそおった。それは前例があるうえに、自分の失踪《しっそう》をうなずかせ、なお、他の者を「かんば沢」へ近よせないための、無言の警告にもなる。ことさらに混乱し、恐怖を誇張した手記を遺《のこ》し、狂気をよそおって、そして叔父は、遠藤兵庫としての自分を、この地上から抹殺《まっさつ》した。人々は少しも疑わなかった。遠藤兵庫は失踪した、と信じられた。

叔父は時期をはかって、この洞窟に入り、ひそかに財宝を持ち出した。一度か二度か、もっとしばしばか、それを知ることはできない。しかし或《あ》るとき、洞窟が崩れ、頭を砕かれて、死んだ。

「こう考えては、あまりに付会しすぎるだろうか、あの死躰と、宝玉を詰めた革袋と、崩れている岩と、そして、あの……」

自分に向ってたしかめるように、こう云いかけたが、そこで彼は口をつぐみ、蠟燭の火を隠しながら、ふり返った。

人の声が聞えた。

反響するのでよくわからないが、かん高く、短い、叫ぶような声が。こちらのほうへ、しだいに近づいて来る。半之助は自分のたちばに気づいた、追われる身であり、禁断の場所にいるということに。……彼はすばやく、元のところまで駆け戻った。(これが彼の命を救う結果になったのだが)そして、火を消して、崩れた岩の破片の山を、よじ登り、自分が転げ落ちた穴へと、身をひそめた。

洞窟いっぱいに、大きく反響しながら、声は意外に早く、こちらへやって来た。そして、明るい松火《たいまつ》の光りが、眩しいほどの反射を、岩壁の表面に揺れたたせた。

「お姉さま、お姉さま、乙女のいうことをきいて、お願いよ」

「いいえ、いや、お帰り」

「お姉さま」

花世の声であった。走って追いついたものとみえ、声は喘ぎ、おののいていた。

「お姉さまも、わたくしたちも、なんにもしてはいないのですもの、よく話せばわかって貰《もら》えますわ、ねえ、どうかそんなことはなさらないで、お願いよ、どうか帰って頂戴《ちょうだい》」

「あなたお帰りなさい」姉の声はひきつっていた、「あなたや、お父さまは大丈夫です、そう重い咎めもないでしょう、だから帰って、あとの始末をして頂戴」

姉妹のやりとりを聞いていると、半之助が逃げたあと、あの社殿は、幕府から派遣された、捕方の群に包囲されたらしい。そして、この姉や、姉と共に江戸から来た者たちは、逆に追われて、ちりぢりに逃げたもののようである。

「あたしの夢はやぶれた、なにもかも、いっぺんに崩れてしまった、みどう一族の守ってきた、再興の望みもこれで終りです、あたしはこの伏岩といっしょに死んで、死霊となって徳川の天下を呪《のろ》い亡《ほろ》ぼしてやります」

「そんなことを仰《おっ》しゃらないで、お姉さま」

二人はそこへ来ていた。

松火を持った、姉の袖に（姉妹はまだ羽衣の衣裳《いしょう》のままであった）縋《すが》りついて、花世のかきくどく姿が、半之助のついそこに、手の届くばかりのところに、見えていた。

「お父さまやわたくしが付いていますわ、いくらだって手の尽しようがありますわ、死ぬなんて仰しゃらないで、お願いよお姉さま、どうぞいちど帰って」

「いいえいや、いやです、放してお呉れ、さもないとあなたもいっしょに死んでよ」

「お姉さま」

「楔《くさび》の岩を抜けば、この洞窟はいっぺんに崩れる、それでなにもかもきれいになるのよ、あなたは帰って、此処から先へついて来ると、あなたもいっしょに死んでよ」

「待って頂戴、待って」

姉は崩れた岩の山へ登って来た。彼女の持っている松火が、ぱちぱちとはぜ、その火粉が、半之助の軀にふりかかった。彼女の荒い呼吸が聞え、香の匂いが半之助の鼻を掩《おお》った。それほど近かった。

姉に突き放された花世は、悲鳴のように、姉を呼びながら、岩の砕片の山を、這い登って来た。

「待って、お姉さま」

姉の身ごなしは、憑《つ》きものでもしたように、早かった。

「お帰り、乙女」

彼女は奥へ走り去りながら、こう叫んだ。

「早く、早く、もう此処は……」

花世は泣きながら、ようやく崩れた岩の上へ登った。それを半之助が、横から、すばやく抱き止めた。

それは殆《ほと》んど反射的な動作であった。花世は恐怖の叫びをあげ、手と足でもがいた。半之助は黙って、しかしけんめいに、彼女の抵抗を抑え、なかば夢中で、がらがらと崩れる、岩の砕片の山を、穴の上のほうへと登りだした。

そのとき洞窟の崩壊が始まった。

崩壊がどういうふうに始まったか、あとで考えてもまるでわからない。それは、初め重くるしい音響と、洞窟ぜんたいの震動で始まり、次いで、奥のほうから、すさまじい風と、岩屑と、土煙がおそいかかった。岩の崩れる音と、地盤を揺りたてる震動の恐ろしさは、形容しようのないものであった。轟々《ごうごう》たる音響と、激しい地揺れにうちのめされ、花世をかたく抱いたまま、半之助は、意識を失ったもののように、穴の中途で身を縮めていた。

彼は自分たちも死ぬだろう、と思った。恐怖のためにわれを忘れたのであろう、非常な力でしがみついてくる花世の、おののき震える、柔らかな軀を、両腕でひっしと抱き緊《し》めながら、——これで叔父の死躰も、ゆくべきところへゆく、ということを思った。

倒林

一

「あれがゆうべの大崩壊のあとですね」

青山主馬は、大きなつつじの木に捉《つか》まって、覗《のぞ》きこむように、山腹の斜面を見た。

「なるほど凄《すご》い、ひと尾根すっかり崩れていますよ、洞窟などは跡かたもなくけしとんだでしょうな、あとを追って入らなくて、いいことをしました」

村田平四郎は黙って、主馬とは反対に、うしろのほうを見ていた。

そこは甘利山の頂上の近くで、まわりは柔らかい若草と、つつじの木が密生し、どちらを向いても、遠くうちひらけた展望がある。主馬の立っているところからは、八ケ岳、茅《かや》ケ岳などが見え、すぐ下には、かんば沢の、（それはすっかり崩壊して、砂《さ》礫《れき》と土のむきだしになった、むざんなさまを呈していたが）急勾配《きゅうこうばい》の谷間があり、眼をあげると、大きく裾《すそ》を張った茅ケ岳や、八ケ岳が眺《なが》められる。

平四郎の位置からは、右に櫛形山《くしがたやま》、正面に富士山が見える。すぐ下は杉と椹《さわら》の大きな林で、それはそのまま、右がわの谷のほうまで、深い森になって続いているが、その樹海の向うに、樋ケ池の静かな水面が、見える。平四郎はその池と、池のまわりを囲んでいる、林のあたりを、（なにやら訝《いぶか》しげに）さっきからじっと、見まもっていた。

「おかしい、どうもへんだ」

彼は口のなかで呟いた。主馬はまるで気がつかない、しきりに手まねをしながら、

「私はよく危険の前兆を感じるんです、ああ今日はなにか悪いことが起こるな」こう

自分の感想を述べていた、「または道を歩いていて、なにか不幸な出来ごとにあいそうな気がする、じつにはっきりと、それこそどきりとするくらいにです、しかしなにごとも起こりません、どんな危険も、どんな不幸な出来ごとも、要するになにごとも起こらないんです、つまり、私がなにか危険の前兆を感じたときは、まったく安全なんだ、という証明になるわけです」

平四郎はなお池を眺め、池をとり巻いている林をみまもり、そして、いかにも納得がいかぬという表情で、ふと、首をかしげたりした。

「ところがです、ゆうべ、といってももう三時ちかかったでしょうが、あの姉妹が洞窟へ逃げ込んだときですね、ちょうど私ひとりだったが、追い込もうとして、はっと立ち停《どま》りました、危険の前兆です、こいつは危ない、と思ったんです、……なにか云いましたか」

平四郎は黙って歩きだした。

「こいつは危ない、こう思ったんです、それで追い込むのをやめて、人数を集めに戻ったんですが、するとあの大崩壊でしょう、……ひと山ぜんぶ崩れたような感じでしたが、じつにどうも、あのときばかりは私も、前兆に対する認識を改めましたね、こいつは安くみつもっても、金二十枚くらいの値打はあると……どこへゆくんですか」

「ちょっと、あの……」

平四郎は池のほうへ手を振り、坂道をおりていった。

かれらは昨夜半、武田八幡の境内で、みどう一族を包囲して捕えた。(清左衛門はじめ、多くの者は無抵抗であったが)菱屋庄兵衛は斬《き》り死にをし、十数名の者が山へ逃げたので、土地の者を案内に、退路を断って、狩りだしにかかっているところだった。

池の二十間ばかり近くへ来ると、平四郎が主馬を手で制した。

「——なんです」

主馬が眼を向けた。

「いや、このくらいで、……」

平四郎は云いよどんで、それからふらっと手まねをした。これ以上近よる必要はない、というのらしい。さっき登って来たとき、土地の者が、池のそばへ寄ってはいけない、うっかりすると池に呑《の》まれてしまう。と諄《くど》く注意した。それで用心をしているのだろう、主馬は肩をすくめた。

「つまらない伝説ですよ、本所のおいてけ堀のたぐいで、どこにでもそんな無稽《むけい》な話はあるもんです、だって」

「——おかしい」

平四郎は首をかしげた。もちろん主馬の云うことなど、聞いてはいないのである。しげしげと池を見、池の西と南を囲んでいる林を眺めた。

右には甘利山のゆるやかな山腹がのび、うしろには茅戸山《かやど》がある。ひとくちに云うと、山の尾根と尾根にかこまれた湖沼で、車前草《しゃぜんそう》に似た広葉の草や、いぬそばや藺《い》に似た草などの生えている水際《みずぎわ》の線は、出入りや彎曲《わんきょく》が多く、対岸の林の樹影をうつす水は、たっぷりと溢《あふ》れるほどの水量であるが、それは不透明に濁っていた。

向うの林は杉と椹で、幹の太さは、いずれも直径二尺ばかりあるだろう、樹下がまっ暗になるほど密に茂ってい、そのあいだに若木の山桜だろう、羞《は》じらうように白く、咲きかけているのが、二、三みえた。

「いったいどうしたんです、なにがそんなにおかしいんですか」

「——水がね、濁っている」

平四郎は口ごもった。

「濁ってちゃ悪いんですか」

「——その理由がね」

ずっと雨も降らない、流れ込む川もない。その池の水は澄んでいる筈《はず》である、そんなふうに濁るわけがないのである。それから、池畔を囲んでいる林もおかしい、どんなぐあいにおかしいかは、ちょっと云えないが、なにか不安定で、ざわざわしたものが感じられる。こういう意味のことを、平四郎はゆっくりと、手まねをいれながら、説明した。

「それはきっと、あれですよ」主馬はこともなげに云った、「かんば沢の大崩壊で、この辺の地盤がいったいに……」

平四郎がふり返った。主馬もふり返った。そして、二人とも（主馬のほうが先に）走りだした。おーい、という声。いたいた、という叫びが、すぐ向うの、茅戸山の中腹の、林の中から聞えて来たのである。

「どこだ――」

走りながら、主馬が喚《わめ》いた。

彼は声をめあてに、林の中へとびこんだ。そこはかなり急な斜面で、木の下枝がびっしりとさし交わし、また下生えの笹《ささ》が、地面を掩っているので、うっかりすると足が滑った。

「此処です、こっちです」

声はすぐそこに聞え、捕方の者が五六人、集まっているのが見えた。

「どうした、捕ったか」

二

こう叫びながら、主馬がそっちへ、近よっていった。

捕方の者たちは、左右にひらいた。するとそこに、次高来太の姿が現われた。

彼は野獣のようにみえた。着物も袴《はかま》も、ひき裂け、綻《ほころ》びている。髪毛はばらばらになり、顔には泥《どろ》と（茨《いばら》かなにかで傷ついたのであろう）幾筋も乾いた血の痕《あと》がある。眼は三角につりあがり、歯を剝《む》きだし、右手に刀を持って、へんに不自然な姿勢で、喚いていた。

「おのれ、どうするのだ、こんな卑劣なまねをして、恥を知れ」

「なにを怒ってるんだ」

「あれです」

捕方の一人が、来太の足もとを指さした。鉄で作った大きな罠《わな》が、来太の右の足を、がっちりと嚙《か》んでいた。嚙み合わされた鉄の、鋭い歯は、おそらく骨まで届いているだろう。脛《すね》の下から革足袋も草履も、ずっくり血に浸されていた。

「この土地の者が、猪《いのしし》にかけた罠だそうです」

捕方の者が云った。

「その罠に踏みこんだのです」

「——なんと」

主馬は眼をみはり、平四郎にふり返り、それから右へ、来太の前を半周した。

来太は喉《のど》も裂けよと、喚き、片方の自由な足で、辛《かろ》うじて身を支えながら、むやみに刀を振りまわした。今や、彼のみじん流は用をなさない、苦心経営、鍛練に鍛練して、江戸でも指折り、といわれた彼の腕前は、もはや三歳の幼児を、脅す役にもたたないのである。

主馬は平四郎を見た。

「村田さんがもしも、これを見て笑うとしたら、私はもう村田さんを尊敬しませんね」

彼は顔をへんなぐあいに歪《ゆが》め、くいしばった歯の間から、妙な、かすれたような声で、こう云った。

「これは神を嘲弄《ちようろう》するものであり、人間に対する冒瀆《ぼうとく》です、私にもしも親の仇敵《かたき》があって、そいつを八つ裂きにしてやりたい、と思うほど憎んでいる、としてもですね、その男をこういう（と彼は来太のほうへ手を振った）こういうざまにはしたくない、こういうざまでは決して見たくない、といったありさまじゃないですか、そう思わないですか」

「――思わないね」

「思わない、思わないですか」

こう云ったとたん、主馬は、まるで矢が弦《つる》を放れたように、笑いだした。

思うに、彼の歪んだ表情や、歯をくいしばったような、妙な声は、笑いを堪《こら》えるための、克己心のあらわれだったらしい。それが、平四郎の無感動な顔を見て、ついにがまんが切れ、笑いの発作におそわれた、もののようであった。

「卑怯者《ひきょうもの》、それでも武士か」来太はこう絶叫していた、「恥を知れ、尋常に勝負しろ、来い」

そして、罠を外そうとして、片手を伸ばし、苦痛の呻《うめ》きをあげて、横さまに、尻《しり》もちをついた。

「もうよせ、じたばたするな」

主馬が、ようやく笑いやんで、涙を拭《ふ》きながら云った。

「柳沢の勢力は瓦解《がかい》した、甲府城も幕府の手に押えられた、夢は終ったんだ、むだな騒ぎはやめろ」

すると平四郎が云った。

「あっちでなにか声がするぞ」

主馬もふり返った。それは上の（つい今しがた二人のいた池畔の）ほうで聞えた。主馬も、平四郎はすぐ、そっちへ向って、木の間をぬけながら、駆け登っていった。主馬も、あとを追おうとして、ふと捕方の者に振向き、「こいつはもう動けまい」と来太を顎《あご》でしゃくった。

「へたばったら縛れ、それまで手出しをせずに見ているがいい、もしまた暴れでもするようだったら、棒で叩《たた》き伏せてやれ」

「それを待っているか」

来太はそう叫び、刀を逆手にして、いきなり脇腹《わきばら》へ押し当てた。捕方の者たちがびっくりし、慌《あわ》てて刀を叩き落そうとした。

「ああよし、構うな」

主馬が眼をそむけながら云った。

「武士の情けだ、切らせてやれ」

そして走り出した。

平四郎のあとから、登ってゆくと、とつぜん眼の前を、一疋《ぴき》の兎《うさぎ》が、さっと横切った。すぐ眼の前だったし、ふいをつかれて、主馬はあっと声をあげた。

「――凶兆だ」

なお登り続けながら、彼はそう呟いた。兎に前を横切られるのは凶兆である。そんな気がした。が、考えてみると、そんなことは聞いた覚えがなかった。

登りきったところは、さっき平四郎と立っていた、樋ケ池のそばであった。すぐ向うに、棒を持った捕方の者が、七八人で、誰かをとり囲んでいる。平四郎はこちらに立って、珍しく大きな声で、「おやめなさい、むだなことです」と呼びかけていた。

「ここをきりぬけたところで、逃げおおせるものではない、せめて終りだけでもきれいにしたらどうです」

相手は返辞をしなかった。刀を青眼に構えて、蒼白《あおじろ》くひきつったような顔で、捕方の者を睨《にら》みながら、激しく肩で喘《あえ》いでいた。

藪《やぶ》や林の中を逃げまわったのであろう、これもまた泥だらけで、着物も袴も裂け、髪もばらばらになっていた。主馬は、おっ、と眼をみはった。彼はその顔に記憶がある、いつか麻布南部坂の昌雲寺で、安倍家の法事が行われたとき会った、名は忘れたが、その痩《や》せた、病的に皮肉な顔だちはよく覚えていた。

主馬の認めるとおり、それは遠藤千之助であった。彼もまた、登世といっしょに、この甘利へ来ていたとみえる。来るまでの事情は、判然とはしないが、おそらく、彼もまた甲府城に拠《よ》って、ひと合戦という、夢に憑《つ》かれたのであろう。しかしそうではなく、亡《な》き父の兵庫が、この土地で失踪《しっそう》したということに惹《ひ》かれて、かれらと行を共にしたのかもしれない。いずれにもせよ、彼が登世の事に座して、その破滅のみちづれになったことだけは、事実のようである。

「待った待った」

主馬はこう叫びながら、千之助のほうへ近づいていった。

「そこもとは一つ木の安倍の縁者だろう、南部坂の昌雲寺で会ったことがあるぞ」

「それがどうした」

「刀をひけ、われわれは安倍の友人だ」

「寄るな」千之助は叫び返した、「安倍には恨みがある、きさまたちのしんしゃくも受けぬ、抜け」

抜け、と叫んだとき、千之助は、とつぜん、横へ跳躍した。窮鼠《きゅうそ》の勢い、という感じで、そちらにいた捕方の者は、わっと左右へ崩れたった。千之助はそれを追うようにみせ、身を翻《ひるがえ》して、走りだした。

「待て、逃げられはしないぞ」

主馬が喚きながら、捕方の者たちと、追ってゆこうとした。すると平四郎が、「追うな、危ない」と呼び止めた。

それは正に危うい瞬間だった。平四郎の声で、思わずかれらが踏み停《とどま》ったとき、逃げてゆく千之助の、足の下が揺れ、彼は奇妙な恰好《かっこう》によろめいた。そこは池の水際であったが、こちらから見ると、その地面が、まるで水に浮いてでもいるかのように、ぐらぐらと揺れた。千之助は足を取られ、転倒しそうになったが、巧みに立ちなおって、その揺れる地面を、跳び越え、跳び越え、すばやく池畔をまわって、林のほうへ走っていった。

そのときである。

「ああ、あれを見ろ、あの林の木を」

と捕方の一人が叫んだ。

檜《ひのき》と椹の林が揺れだした。ざあーときみの悪い音をたてて、梢《こずえ》と梢が触れあい、まるで烈風にでも煽《あお》られるように、幹と幹を打ちあわせ、そうして、端のほうから順に、ゆらゆらと揺れ傾きながら、池の中へと倒れ始めた。

みんな息をのみ、眼をみはって立ち竦《すく》んだ。それは恐ろしい、白昼夢のような、出来ごとであった。

僅《わず》かに東南の微風があるばかりで、初夏の山は眠っているように静かだった。空は青く澄みあがって、ひる近い日光が、眩《まぶ》しいほど明るく照っていた。

この穏やかな景色のなかで、林の樹々が、つぎつぎに、大きくゆらめき、身ぶるいをしながら、どうどうと倒れてゆく。水を打つ音。枝の折れる響き、高くふきあがる飛沫《しぶき》。そして、倒れたものから順に、ずるずると、池の中へひき込まれてゆくのである。根がはねあがり、土くれが飛んだ。

「みんなさがれ」平四郎がそう叫んだ、「もっとうしろへさがれ」

こちらの地面も震動した。だが、誰も動かなかった。あまり異常な、まったく経験のない出来ごとの、すさまじさに、平四郎の声も聞えず、身動きもできなかったのである。

「どうしたんです、あれは、どういうわけなんです」

主馬が、唾《つば》をのみながら、ふり返って平四郎を見た。平四郎はゆらりと手を振り、眉《まゆ》をしかめて、口ごもった。

「わからない、が、たぶん、此処は地盤がゆるくて、つまり、樹が大きくなると、支えきれなくなる、……というのだろう」

「すると水が濁っていたのは、あのときもう地盤が動きだしていたわけですか」

「かんば沢の崩壊の、影響もあるだろうね」

「ぎょっとしますね」

主馬はまたふり返った。

彼の眼には、倒壊する林の中へ、走り込んでいった千之助の姿が、ありありと残っている。平四郎は本草学などをやるので、敏感に危険を感じたのだろうが、彼に止められなければ、自分も千之助と同じ最期《さいご》をとげたにちがいない。……どうやらもう倒れ終るらしい、林の跡の、からっと明るく、裸になった池畔を見ながら、主馬はぶつぶつと呟《つぶや》いた。

「どうも、私の前兆の勘も、知れたもんですな、金二十枚どころか、せいぜい……」

秋の章

一

その年は、二百二十日の厄日《やくび》の前後に、小さな暴風雨が二度あって、それからにわかに秋がきた。

半之助は、椹ケ池《さわらがいけ》の少し下の、蕨平《わらびだいら》というところに、小さな住居を建て、七月からそこで寝起きをしている。よそから入って来た彼に、そんなことが許されたのは、花世のおかげもあるが、また、四月の騒動のとき、彼がみどう一郷のために、尽力したことも、役立ったのは慥《たし》かである。

崩壊する洞窟《どうくつ》から、花世を援《たす》けて、辛くも脱出した彼は、清左衛門や、一郷のおもだった者たち（全部で五十余人に及んだ）が捕えられ、その検挙の指揮者が、村田平四郎であり、青山主馬もいることを知って、かれらを釈放するように、交渉した。

平四郎や主馬が、そんな処《ところ》で、半之助に会ったことをどんなに驚いたかは、云うまでもないだろう。

半之助の交渉は成功した。検挙の目標は、登世と、彼女をとり巻く、柳沢系の者たちにあった。それは、かれらが江戸で策謀していたときから、予定されていたことであるし、十一日夜半の、武田八幡宮での、登世の言葉で、さらにはっきりした。清左衛門も花世も、その他の土着民の、多くの者たちも、暴挙には無関係であったし、むしろ反対していたのである。

もっと根本的には、平四郎らが、江戸から乗り込んで来た理由は、甲府城に対する示威、ということであった。綱吉の死に続く、吉保の失脚によって、かねて甲府城に武備を貯《たくわ》えていた、無思慮な一味が、万一にも事を起こすようなことが、あってはならない、「暴挙の企図はわかっているぞ」という意味を、行動で示すためであった。……じっさいには、これよりさきに、六代将軍となった家宣《いえのぶ》（甲府侯）と、その帷幄《いあく》の人々の、すばやい、果断な処置によって、柳沢系の勢力は、巧みに骨抜きにされ、もはや、なにをする余力も、無くなっていたのであるが。

登世は死に、登世といっしょに来た者も、菱屋庄兵衛、次高来太、遠藤千之助らと、他に死者三人、七人が捕えられた。これらは、甲府城の城代、柳沢隼人《はやと》に引渡されたが、他の者は（二三の条件付きで）二十日ほどのちに釈放され、騒ぎはおさまった。

五月の末に、平四郎たちは江戸へ去った。そのとき、主馬はしきりに、半之助にも江戸へ帰るように、とすすめた。

――いつまでこんな山の中にいられるものじゃない、いま帰れば、こんどの事で、いっしょに働いたという名目が立つし、好ましい役にも就けるだろう、遁世《とんせい》は老年になってからでいいじゃないか。

半之助は首を振った。

――安倍半之助はもう、この世にはいない、おれはもうまったくべつの人間なんだ、此処で会ったことは、誰にも云わないで貰《もら》いたいし、このまま忘れて貰いたいんだ。主馬は、半之助の決心が、動かないものだ、と察したらしい。最後に、――いったい、なにが原因なんだ。と訊《き》いた。半之助は微笑しただけで、返辞はしなかった。

二

蕨平の住居は、土地の者たちが建てて呉れた。

そこは甘利山の頂上へ登る道と、椹ケ池へゆく分れ道の手前で、雑木林に囲まれた、かなり広い、平地になっていた。水の便は少し悪いが、北と西を茅戸《かやど》の尾根が巻いていて、風雪を除《よ》けるのにいいし、平地の端へ出ると、東北と南に、遠く近く、うちひらけて、重畳たる山なみを、展望することができる。

家は杉皮葺《すぎかわぶき》の小さなもので、部屋二つに水屋。うしろに物置小屋があるだけの、極めて簡素なものであった。東がわの小部屋には机を置き、南面の八帖《じょう》には炉を切った。水屋に続いている土間に、釜戸《かまど》を造ってあるが、平常の煮《に》炊《た》きはその炉で用が足りた。

食糧や日用の品は、もう韮崎《にらさき》までおりなくとも、土地の者がすべてをまかなって呉れた。かれらはくちかずが少なく、無表情で、またひどくぶあいそにみえる。それは長い年月、排他的な生活をしてきたためであろう。気持は純朴《じゅんぼく》で、こまかいところにもゆき届いた思い遣《や》りをもっている。それこそ針や糸の心配までして呉れるが、黙って持って来て、こちらで気づかないうちに置いてゆく、というふうであった。……これらの心づくしに対して、いまのところなにも返礼の法がない。もちろん、かれらもそんなものは期待していないようであるが、いつかしぜんに、そういう機会がくるだろう、と思われるし、現実にもごく少しずつではあるが、お互いの隔てがとれてゆくようであった。

静かな日が続いた。訪ねて来るのは花世ひとりである。いうまでもないが、花世が来ていると、静閑とはいえなかった。

——あまりしげしげと来ては、人にめだって悪いから。

こういう意味のことを幾たびか云った。じっさい清左衛門という人にも遠慮であるし、まわりの者のおもわくもどうかと思われた。しかし花世は平気なもので、彼の云うことなど耳にもかけなかった。ときに二日三日姿をみせないと思うと、次にはあの「ほっほう」という呼び声を陽気に聞かせながらやって来て、

——あたしが来なかったので、どうしたかと思って心配したでしょ。

などと云う。そうして帰るまで、例の如《ごと》く勝手なことを、口から出まかせに、とめどもなく饒舌《しゃべ》り、しばしばいっしょに食事をして、すっかり満足すると、

——また来まあす。

と云って活溌《かっぱつ》に帰ってゆくのであった。

また夏のあいだは、毎日のように釜無川へさそっていって、早い流れを自在に泳いでみせたり、巧みに魚を摑《つか》んで来たりした。水底の岩の間に、鰭《ひれ》を休めている魚たち、うぐい、や鮎《あゆ》や、山女魚《やまめ》など、六七寸もあるのを、びっくりするほど巧みに摑んで来る。

——でも海はだめよ、海ときたら。

或《あ》るとき花世はこう云って怒った。

——底はのっぺらぼうの砂だし、岩があっても魚の隠れるとこがないし、明るくって四方八方見とおしだし、魚は臆病《おくびょう》でちょこまかするし、まったくなんていったらいいでしょ。

——海へいったことがあるんですね。

半之助がきいた。

——ありますとも、それも江戸の海よ。

この話のとき、彼女は捕った鮎を、青竹の筒に入れ、葛《くず》の蔓《つる》で巻いて、焚火《たきび》であぶっていた。半之助はそれが、いつか築地の丸茂で喰《た》べた、鮎の竹蒸しというのと、同じやりかたであるのを、思いだしていた。

——江戸の築地の海、いくらやっても一尾も捉《つか》まらないし、そのうちに乙女のことを笑う者がいたから、あたしうんとこらしめてやったわ。

——どんなふうにです。

——よもや云えやしませんわ、そんなこと、乙女だって女ですもの。

そしてさも可笑《おか》しそうに、含み笑いをした。

いつか蜂蜜《はちみつ》が採れたといって、大きな瓶《かめ》に一杯、香ばしい匂《にお》いのする蜜を、下僕に担《かつ》がせて来て呉れた。山葡萄《やまぶどう》で醸《かも》した酒とか、煎《い》り煮に使う猪《いのしし》の脂肪とか、丸茂で喰べた珍しい品が、つぎつぎと運ばれた。

日々は極めて単純に経《た》っていった。昼のうちは近くの山や、谷や、高原を歩きまわるか、水を汲《く》み、薪《まき》を作ることに過した。夜はたいてい早く寝るが、雨の日や、眠れない夜などには、机に向って「かんば沢」を中心とした、これまでの出来ごとを、詳しく書き綴《つづ》ったり、また、飽きるまで、ものを考えたりした。

江戸にいたときの、やりきれない倦怠《けんたい》や、よりどころのない空虚さや、孤独感などは、もう殆《ほと》んどおこらなくなった。

これが意義のある生活、生き甲斐《がい》のある生活だ、とはいえないにしても、自分が解放され、自由になったこと、ここからなにかが始まる（少なくともそう思える）ということはできた。それはまだ慥かではない、これ以上にはなにも始まらないかもしれない、やがて解放感もなくなって、再び倦怠や徒労感にとりつかれるかもしれない。だが、彼はいまこう考えることができる。

――人間はいかに多くの経験をし、その経験を積みあげても、それで自分を肯定したり、満足することはできない。

――現在ある状態のなかで、自分の望ましい生きかたをし、そのなかに意義をみいだしてゆく、というほかに生きかたはない。

すでに、江戸のことは迥《はる》かに遠かった。村田や青山や、その他の多くの知人は、（柳沢系に代った）新しい勢力のなかで、それぞれの席を占めているであろう。谷町の安倍父子はどうなったか、物欲の固まりのような冲左衛門は、八百石から千二百石の大番に出世をし、なお柳沢一派の尾について、その子の又五郎と共に奔命これ努めた。その結果がどうなったかはわからない、もしもあの変動をうまく躱《かわ》したとしたら、いまごろは新しい情勢のなかで、またもや忙しく奔走し、心を苛立《いらだ》て、怒ったり憎んだりしているにちがいない。

――あの佐枝という娘は、どうしているか、

その父や兄にふさわしく、派手好きで、驕《たかぶ》った、あの娘の姿は、思いだそうとして

も、もうまったく眼にはうかんでこなかった。

——すっかりおちついたら、母を呼ぼうか。

彼はこう思うことがある。母に関する限り、殆んど本能的な呵責《かしやく》を感ずる。それはときに、耐えがたいほどであるが、彼はいつも自分に向って、つよく首を振るのであった。

——安倍半之助はもうこの世にはいない、おれはまったくべつの人間だ、……母には母の生活をして貰おう。

八月十七日の夜、八時ころになって、花世がやって来た。ずっとまえから、満月の夜に法王山を見にゆく、という懸案があった。ふしぎに故障があって、それまで果せなかったのを、名月の晩にこそと、改めて約束したものである。

——十五夜というと、よく曇るか降るかするけれど、今年は大丈夫なのよ。

花世はしかつべらしく云った。

——だって去年が閏《うるう》だったでしょ、閏年のあくる年の中秋には、決して月の曇ることはないんですってよ。

その十五日は朝からしぐれもようで、空はいちめんに重たく雲で閉ざされ、雪でも降るかと思われるほど、寒かった。そして、花世が来たときは、じっさいはらはらと、小雨が降りだしていた。

——大丈夫、いまにきっと晴れますわ。

彼女はさも知ったように頷《うなず》いた。

——まさか天ですもの、去年が閏だってこと、忘れるわけがないじゃありませんか。

だが雨はつよくなるばかりだった。彼女はだいぶぐあいが悪いようすで、しきりにそらしたような話をし、持って来た弁当をあけて、むろん半之助にも強制しながら、きれいに喰べてしまい、ついに観念したのだろうが、そのことにはまったく触れず、十時すぎに半之助の蓑《みの》と笠《かさ》をきて、帰っていった。

十七日は午後まで風が強く、林の枝が鳴るくらいだったが、吹きやむと共に、ひとかけの雲もないほどに晴れて、夕空は眼をおどろかすばかり、美しかった。……夕食のあと、こころ待ちにしていた半之助は、灯を消して、家の前庭におり、巨《おお》きな木の根で作った腰掛に掛け、月の昇るのにつれて、明るくなってくる、あたりのけしきを眺《なが》めていた。

花世はあの、ほっほうという声で（それは谷から谷へこだまを起こしつつ）呼びながら、ひどく悠々《ゆうゆう》とあらわれた。その夜は白地に秋草模様を染めた着物で、珍しく奴《ぬ》袴《ばかま》は着けず、はでな竜胆《りんどう》色の帯を、うしろで大きく結び、素足に草履をはいていた。化粧もしているらしい、髪にも香油があまやかに匂っていた。

「ね、いいお月さまでしょ」

彼女は鼻たかだかと云った。まるで自分がその月を出しでもしたかのような、口ぶりであった。

「——きれいだね」

半之助は花世の姿を見て、こう云ってから、本当に彼女が、見ちがえるほど美しいのに気づいて、眼をみはった。

花世も、彼の視線と嘆賞の言葉が、自分を褒《ほ》めているのだと、気がついたらしい、ちょっと得意そうに、すましてみせたが、嬉《うれ》しさのあまりすぐに笑いだし、

「さあまいりましょう」

とはなやいだ声で云った。

半之助は胸のなかに、あまやかな、温かい感情のたゆたいを覚えながら、青澄んだ明るい山道を、登っていった。

三

「わたくしゆうべの夜なかに、ずいぶん泣いてしまいましたわ」

花世は歩きだすとすぐ、恒例のお饒舌りを始めた。言葉のていねいなときは、たいてい半之助に関する話である。またくさらせられるのか、と思っていると、はたしてそのとおりになった。

「どうしてだかおわかりになって」

「まあ聞かせて下さい」

「わたくしね、あなたに鳥の翼とおんなじ、羽根を付けてあげたいと思いましたの」

「ほう、羽根をねえ」

「鷲《わし》のように大きくて強い、そしてきれいな翼をですの、そうすればあなたは、好きなとき空へ舞いあがって、自由自在にどこへでも飛んでゆくことができますわ」

奴袴をはいていないので、彼女は裾《すそ》が気になるらしい。常とは違った、しなのある歩きかたをしているが、話に熱中すると、つい忘れて大股《おおまた》になる。すると白い柔らかそうな、すんなりした脛《はぎ》があらわになり、また慌《あわ》てて、優雅な歩きぶりにかえるのであった。

「どうしてまた」と半之助がきいた、「そんな、とつぜんなことを考えだしたんです」

「あらとつぜんじゃございませんわ、わたくしはただ、あなたがそう思っていらっしゃる、っていうことに気がついただけですわ」

「私がどう思っているんです」

「鳥のような羽根が欲しいって、……どこかへ飛んでいってしまいたいって、ときどきになるとそういうお顔をなさいますわ、それも、おめにかかっているときにはわからないで、家へ帰ってからふっと気がつきますの、ああ、あの方はあんなお顔をなすっていた、どこかへいっておしまいになるのじゃないかしら、どうしよう、……そう思うんです」

なにゆえともなく、半之助は胸に一種の痛みを感じた。

「ですから乙女は考えましたわ、あなたに翼を付けてあげたいって、そうすればあなたは、此処《ここ》がつまらなくなったり、退屈したり淋しくなったりしたときに、さっと空へ舞いあがって、高く高く、雲の上へぬけていったり、山を越え谷を越えして、好きなだけ遊ぶことができる、そうしてすっかり気分がなおったら、また此処へ帰っていらっしゃる、ね、それならいいでしょ、そういうふうにできたらとお思いになるでしょ」

花世は彼の顔をじっと見た。そして、彼がなんとも答えないうちに、さもせつなそうな溜息《ためいき》をついて、云った。

「けれども人間に羽根を付けることはできませんわ、どうしたって、……もしかして、乙女の命でそうすることができるのなら、いつでも命くらい代りに出しますわ、命じゃなく、手か足くらいだともっといいけれど、命だってちっとも怖かありませんわ」

「道はこういっていいんですか、どうやら下りになるようだが」

「でもどうしたってできませんわ」花世は構わずに続けた、「どんなことをしたって、乙女の命に代えたって、あなたに翼を付けてあげることはできない、あなたの望みをかなえてはあげられない、いつまでもあなたを不幸なままにしておかなければならない、……そう思うとあなたがお可哀《かわい》そうで、自分が哀れで、悲しくって、辛《つら》くって、いくら泣いても涙が止りませんの」

下りになった道は、いつか林をぬけて、かなり急な登りになり、山の中腹をまわるところでは、法王連山の見えることもあった。しかし花世は登り続けた、法王山を見るには、見るべき場所がある、というのである。そしてお饒舌りはなおやむけしきがない、それはもう歌のようであった。子守りうたかなにかのように、あまやかに、綿々と、彼を包み、彼をあやすように思えた。

ついに甘利山の頂上へ来たとき、花世は息をととのえる暇もなく、「ほっ、ほう……」と叫んだ。胸を張り、声いっぱいに、二度、三度と叫んで、そして半之助に向って、あれを聞け、というような手まねをした。

彼女の声が、山彦になって返って来る。初めは高く、次に低くなり、さらに低く、山彦が山彦を呼んで、しだいに遠く、かすかに、……それはまるで、眠っていた山々の精霊が、彼女の叫びに眼ざめて、互いに呼びあいながら、答え返すかのように思われた。

「——ね、聞えるでしょ」

花世はこう云って、自慢そうに彼を見て、微笑した。半之助も頬笑《ほほえ》み返しながら、頷いた。

頂上を西がわへ、少しおりると、かなり広い、平らな、岩の台地がある。花世は彼をそこへ導いてゆき、疎《まば》らに生えた草の上に、並んで腰をおろした。そして初めて、さあごらんなさい、と云いたげに、黙って前方へ手を振ってみせた。……かれらの前はすぐに崖《がけ》で、下は深い森のある谷（そこは霧に掩《おお》われていた）になっている。谷の向うに、甲斐駒の連峰の一部が、思いのほかまぢかく、迫って見えた。

彼はやや圧倒された。

どこか遠く、ずっと下のほうで、かすかに渓流《けいりゅう》の音が聞える。そのほかには、なんのもの音もしない。高くあがった月の、青い透明な光りをあびて、重おもしく、森厳にねむっている連峰のなかに、際立《きわだ》って白く、きらめくような感じで、法王山の峰がぬきんでて見えた。

「やっぱり乙女の云ったとおりでしょ」

彼女はうっとりとした声で、こう云いながら半之助を見た。

「まるで雪の宮殿のようでしょ」

半之助は黙って頷いた。彼は坐《すわ》っている膝《ひざ》を立て、それを両手で抱えながら、魅せられたような眼で、じっと、その山に眺めいった。

「少し寒くなったわ、倚《よ》らせて頂いていいでしょ」

花世はこう云いながら、彼のほうへ、そっと身を寄せた。化粧の香りが、あまく、しかし爽《さわ》やかに、彼を包んだ。

彼には山々が、厳《いかめ》しい死のようにも思え、また不滅の生であるようにも思えた。それは、現象のあらゆる秘密を知っていて、しかも黙って、亡《ほろ》びのときの来るのを、永遠に、辛抱づよく待っているかのようにみえた。

「――五百年、千年のむかしにも、私たちがこうして眺めるように、誰かが、こんなふうに、あの山を眺めたかもしれない」

半之助がゆっくりと、囁《ささや》くように云った。すると花世は、彼に、その柔らかい肩を、凭《もた》せかけながら、頷いた。

「ええ、そうね、きっとそうだわ」

「これから五百年、千年のちにも」半之助は続けた、「また誰かが、此処へ来て、同じように、あの山を眺めるだろうか」

「ええ、たぶん……」

花世は小さな欠伸《あくび》をした。

彼は云いたかったのだ。過去も現在も、未来も、人間は生きてきて、悩んだり苦しんだり、愛したり憎んだりしながら、やがて死んでゆき、忘れられてしまう。金石に刻んだ碑銘も、いつかは錆《さ》び、欠け朽ちて、この世から消滅してしまう。武田一族も亡び、信玄の遺《のこ》した、伝説の石棺とおぼしい、財宝を秘めた伏岩も、崩れ去った。人間の為《な》したこと、為しつつあること、これから為すであろうことは、すべて時間の経過のなかに、かき消されてしまう。

——慥《たし》かなのは、自分がいま生きている、ということだ、生きていて、ものを考えたり、悩んだり、苦しんだり、愛しあったりすることができる、ということだ。

こういったようなことを、云いたかったのである。しかし口にはだせなかった。口にだすにはあまりに感傷的だし、また漠然《ばくぜん》としていた。

凭れかかっている花世の、柔らかい肩が、温かく、しんなりと重くなり、気がついてみると、どうやらうたたねをしているらしく、かすかに、安らかな寝息が聞えた。

「眠ってはいけない、風邪をひくよ」

半之助は、彼女の肩へ、そっと手をまわしながら、囁いた。

花世は「うふん」と鼻ごえをあげ、抱かれた腕の中で、彼のほうに身をすり寄せ、頭をこちらの肩へ乗せてしまった。つむった眼の、長い睫毛《まつげ》が、月の光りで下瞼《したまぶた》に影をおとしている。……うぶ毛の生えた、なめらかな頰、かたちよく波うっている唇《くちびる》、あまり高くはないが、ふっくらとした、可愛《かわい》い鼻。これらはすぐ眼の前に、殆んど相触れそうな位置にある。……母親の乳の匂いのように、寝息があまく匂った。包むような、ほのかにあまく、温かい匂いである。それは寝息だけではなく、肌《はだ》からの匂いも、混っているようだ。

――あんまりお饒舌《しゃべ》りをしすぎて、疲れてしまったんだな。

半之助はこう思って、ふと微笑しながら、片方の手で静かに、怖《おそ》れるように、彼女の髪を撫《な》でた。

花世はまた鼻声をあげ、仔猫《こねこ》が母のふところをさぐるように、肩と頭とを彼にすりつけた。彼が抱いた腕に力をいれると、さらにしんなりと重みがかかり、ふと片手を、彼の着物の衿《えり》から、ふところへとさし入れた。

「――乙女……」

彼は口の中で囁いた。そして、彼女の髪へ、そっと、頰を寄せた。それは冷たかった、冷たかったが、なにかを伝える冷たさであった。彼女の内部から彼の内部へ、なにか（生命そのものといえるようなもの）を、じかに伝えるように思えた。

――おれは生きている。

半之助は心のなかで呟《つぶや》いた。

――生きることができる。

殆んど痛みのような、深い感動が、彼のなかで、ちからづよく、ひろがってきた。彼は、ふところへ入れた花世の手を、上から押え、眼をつむって、（その感動を慥かめるかのように）じっと息をひそめた。すると、半之助の閉じた眼から、涙があふれ落ち、それが花世の髪毛の中へと、吸い込まれた。谷間から、月光に濡《ぬ》れたような霧が、しずかに、二人のほうへ捲《ま》きあがって来た。

解説

尾崎秀樹《ほつき》

韮崎《にらさき》市の七里岩の南のはずれに『山彦乙女』にちなむ山本周五郎の文学碑が立っている。土地の人はその台地を〝お観音山〟とよんでいるようだが、それはそこに見上げるような平和観音像が建てられているからだ。その観音さまの足もとに近く建った山本周五郎文学碑には、『山彦乙女』の一節が刻まれている。

「はじめ、韮崎という町に宿を取って、春の来るまで、付近のようすを見てまわった。そこは釜無川《かまなしがわ》の東がわで、川上のほうには、むかし武田勝頼の拠《よ》った、新府城の址《あと》がある。川に面した断崖《だんがい》の上で、石垣《いしがき》も塁も乱雑たる廃墟《はいきよ》だったが、今でも土を掘れば、刀の折れや、焼けた籾《もみ》などが出る、ということである」

これは主人公の安倍《あべ》半之助がひそかに江戸を抜け出して、八カ月ほどたった後の回想のくだりにある。半之助の叔父遠藤兵庫の奇怪な失踪《しつそう》のあとを追って、半之助もまたかんば沢へ向うのだ。

文学碑の立つ崖《がけ》の上から、鳳凰山《ほうおうざん》や甘利山《あまりやま》の方角を眺《なが》める。真下には釜無川が流れ、甘利山麓《さんろく》には小さな集落がいくつも散らばっている。そのあたり、武田の里一帯は武田家発祥の地でもあるのだ。甲斐《かい》国の三牧場のひとつであり、武田家が騎馬戦を得意としたのもいわれは古い。

山本周五郎の先祖は武田家の遺臣で、北巨摩《きたこま》の若尾に土着した清水大隅守《おおすみのかみ》だといわれる。幼少の頃《ころ》に武家の心得のひとつである切腹の作法をしつけられたのも、そういった由緒《ゆいしょ》ある家系によるのであろう。清水三十六《さとむ》(山本周五郎の本名)少年は小さい頃から清水家にちなむ武田の興亡の歴史を聞かされて育ったことだろう。彼の本籍地若尾は武田橋を渡ってまもないところにある小さな集落だ。もっとも山本周五郎が生れたのは北都留《きたつる》郡の初狩村であり、若尾に居住したのは祖父の代までである。

しかし彼は生前出生地を初狩とせず、本籍地の若尾としてきた。これは父祖代々の地にたいする憧憬《しょうけい》のあらわれでもあったが、初狩の地で体験した山津波の悲惨な思い出を、記憶の中からぬぐい去ろうとしたためでもあったらしい。山本周五郎の一家は明治四十年八月の山津波で、祖父母と若い叔父叔母を一度に奪われた。裏山の寒場沢が崩れて、家とともにおしつぶされたのである。彼らが住んでいた奥脇家の屋敷は御《み》堂《どう》屋敷ともよばれていたという。この寒場沢と御堂屋敷の思い出は形を変えて『山彦乙女』のなかにあらわれてくる。

『山彦乙女』の中では「かんば沢」は、近寄ると必ず凶事がおこり、生きて帰った者はない場所として物語られているし、「みどう」は甘利郷の地主屋敷として描かれている。実際に韮崎にも御堂というところはあるが、山本周五郎はそれらをひとつのものに融《と》けあわせて、心象の中の「みどう」と「かんば沢」につくりあげているのだ。

私はその虚構と現実の距離をたしかめるために、何度か初狩や韮崎へ出かけたものだ。初狩村八二番戸という出生地は、現在では大月市下初狩二二一番地になっている。かつて奥脇家の長屋が並んでいた国道から一段高い一郭は、一面の桑畑に変っていた。寒場沢ははるかに遠く、山あいの切れこみのところだと聞いたが、それだけの距離を鉄砲水が土砂をおし流してきたとすれば、よくよくの異変だったのであろう。奥脇家に残されている記録をみると、下宿《しもじゆく》と中区の家屋五十余戸が埋没し、三十余名の死者が出たという。山本周五郎がふるさとについてあまり多くのことを書き残さなかったのも、そういった悲惨な思い出があるためだ。

山本周五郎の本籍地のあたりは、武田にちなむ史蹟《しせき》が多い。武田館跡《やかたあと》、武田の祈願所である願成寺《がんじようじ》、その境内にひっそりとたたずむ武田家の始祖信義《のぶよし》の墓、さらには信義が守護神として信仰した武田八幡《はちまん》などである。

この武田八幡は『山彦乙女』の中でも重要な舞台に使われている。とくに印象に残るのは、四月十一日の夜半に武田家再興を祈願して催される薪能《たきぎのう》の場面だ。四つの篝《かがり》火《び》が闇《やみ》をこがすなかに、甲冑《かっちゅう》の武者たちが方四間の舞台をとりまき、笛、鼓《つづみ》、太鼓の下座がひなびた曲を奏するのにあわせて、登世と花世の姉妹が古風な羽衣を舞うくだりは、いかにも人里はなれた武田八幡のたたずまいと無理なくとけあった感じがする。山門をくぐって石段を登ると、古雅な趣のある舞殿がみられる。本殿はさらにその上にあたるが、山本周五郎もこの武田八幡に詣《もう》でて舞殿も見、野鳥の声に聞き入りながら、篝火に照らされて舞う二人の美女の姿を思い描いたのであろうか。なお伏岩を思わせる立岩は、武田八幡の左手の一角に見られるし、「椹ケ池《さわらがいけ》」は甘利山中に見捨てられたような形で存在している。

『山彦乙女』は昭和二十六年六月十八日から九月三十日まで百五回にわたって朝日新聞に連載された。挿絵《さしえ》は江崎孝坪《こうへい》だった。久生十蘭《ひさおじゅうらん》の『十字街』のあとを継いではじまり、『山彦乙女』が終ってから村上元三の『源義経《よしつね》』が開始された。百回あまりの比較的短期の連載ではあったが、山本周五郎にとっては戦後はじめての新聞連載である。彼はそれまでに地方紙に長編を発表したことはあったが、中央三紙に登場したのはこの作品が最初だった。その意気ごみのせいか、多少かたいところはあるにしても、ロマンの夢をくりひろげてゆく筆ののびはさすがなもので、作者が新聞小説にかねてから抱いていた考えとでもいったものをよむことができる。

山本周五郎は不特定多数の読者を相手にした新聞小説の仕事を、エンターテインメントの側面から重要視していた。一見サービス過剰とみられるような部分も、全体の構図の中に無駄《むだ》なくはめこまれている。それだけではなく、戦前から倶楽部《クラブ》雑誌で鍛えてきた伝奇小説的な技法がうまく活《い》かされて、ロマン味あふれる作品にまとまっているのだ。

安倍半之助の母方の叔父にあたる遠藤兵庫は、妻の不貞もあり、都会生活にもあきて、放蕩《ほうとう》のあげく甲府勤番に廻《まわ》されたが、「かんば沢」のあやしい話に魅せられ、やがて狂人をよそおって姿を消した人物だった。半之助は若い頃にその叔父から、近づく者は生きて帰れないという「かんば沢」や、そばへよると人でも獣でもひきずりこまれるという榿ケ池をはじめ、甘利谷の甲冑武者の亡霊行列、甲斐中の狸《たぬき》が年一度のあつまりを開くという狸の談合場などについて話を聞いたが、とくに「かんば沢」や「みどう屋敷」のことは記憶に焼きついた。そして半之助が十四歳のときに、遠藤兵庫は行方不明となった。

半之助は三百石の新御番に過ぎない。それも谷町の宗家が柳沢吉保《よしやす》にとり入り、種々奔走した結果だったが、半之助はそういった宗家の抜け目のない生きかたについてゆけないものを感じていた。それに宗家の安倍冲左衛門《ちゅうざえもん》は二女の佐枝を半之助に嫁がせようと考えているが、彼は彼女の利口ぶった振舞いが好きになれず、できるだけ避けていた。仲間の青山主馬《しゅめ》や村田平四郎、正木重兵衛、松室泰助らと交わり、木挽《こびき》町《ちょう》の茶屋へ出かけることも少なくない。

そして冲左衛門の推挙をことわって御薬園勤めとなり、佐枝との縁談も避けた半之助は、目黒の駒場《こまば》に近い薬園にひきこもって、叔父の残した「みどう清左衛門に関する調書」や甘利郷の地図、それに見聞記等をもとにして、叔父をそれほどにまで狂喜させた秘密をしらべたあげく、甘利郷へ出かけてゆくのだ。

こうして場面は江戸から甲州に移り、武田家の再興をはかるみどう家の陰謀へと話が進展する。そこまでの叙述は、謎《なぞ》をはらみながらもいかにもゆったりとした筆致だが、舞台が変ると急テンポな展開にうつる。将軍綱吉の死と柳沢吉保の失脚、柳沢一党の暴挙の企て、その中でのみどう家の姉娘登世の動きなどが急速に大詰にむかって煮つまってゆく過程で、半之助と妹娘花世との交渉もふかまり、彼のかつての同僚青山主馬や村田平四郎らが、柳沢一党の探査追跡にあたっていたことも、次第にわかってくる。そして「かんば沢」の謎も氷解し、半之助は花世と結ばれて甘利郷にふみとどまることになるが、武田家の再興を願うみどう家の企てと、柳沢一党の政治的な動きとが、二重三重にからみあう姿は、いかにも伝奇小説のおもしろみを感じさせる。

しかし作者はそれだけでは満足せず、半之助をはじめ、彼をとりまく青年たちに、それぞれ性格的な肉づけをくわえているのだ。彼らは青山主馬を除いていずれも彼の学友であり、気楽なつきあいができた。そして充実した意義のある生きかたをするにはどうしたらいいかを考えあってきた。不幸な恋の経験をもつ青山主馬、一般の習俗に抵抗するため結婚を拒否すると言いながら、いちはやく結婚した正木重兵衛、深刻に考えこむだけの松室泰助、沈着でどこか老成したおもむきのある村田平四郎など、それぞれに描きわけられ、叔父遠藤兵庫の息子千之助のぬかりなくたち廻る生きかたとはことなった感じをもりこんでいる。

このことは主人公の半之助や花世、姉の登世などについても言えることで、野性そのままな大らかさをもつ花世にたいして、武田家再興の夢にとりつかれた登世を配し、生きがいをもとめながらも政治的な動きを避け、愛の中に生の確証を見出《みいだ》す半之助の心理的な裏づけもなされている。

末尾に近く、半之助は花世とともに法王山（鳳凰山）を眺めながら、これから五百年、千年後にも誰かがここへ来て、同じようにあの山を眺めるだろうかと語りあう。

人間はいつも生きて悩み苦しみ、愛して憎み、そして死んでゆく。武田一族も滅び、その再興を夢みた人々もなくなって、すべては時間の経過のなかにかき消されてしまうが、そのような歴史の流れの中で、たしかなものがあるとすれば、それは自分が現在生きているというそのことだけだ――このような半之助の感懐は、そのまま作者山本周五郎の思いであったに違いない。

（昭和四十九年八月、文芸評論家）

この作品は昭和二十七年二月朝日新聞社より刊行された。

山《やま》彦《びこ》乙《おと》女《め》

新潮文庫　や - 2 - 26

昭和四十九年十月二十日　発行
平成二十三年三月五日　三十刷改版
平成三十年二月五日　三十一刷

著者　山《やま》本《もと》周《しゅう》五《ご》郎《ろう》

発行者　佐藤隆信

発行所　株式会社　新潮社

郵便番号　一六二―八七一一
東京都新宿区矢来町七一
電話　編集部(〇三)三二六六―五四四〇
読者係(〇三)三二六六―五一一一
http://www.shinchosha.co.jp

価格はカバーに表示してあります。

乱丁・落丁本は、ご面倒ですが小社読者係宛ご送付ください。送料小社負担にてお取替えいたします。

印刷・錦明印刷株式会社　製本・錦明印刷株式会社

Printed in Japan

ISBN978-4-10-113426-0 C0193